Classiques & Contemporains

Collection animée par
Jean-Paul Brighelli et Michel Dobransky

D0617945

Éric-Emmanuel Schmitt
Le Visiteur

Présentation, notes, questions et après-texte établis par
CATHERINE CASIN-PELLEGRINI
professeur de Lettres

MAGNARD

Sommaire

QUI EST ÉRIC-EMMANUEL SCHMITT?

Né en 1960, Éric-Emmanuel Schmitt s'exerce dès l'adolescence à l'art d'écrire en pastichant les plus grands, dont Molière. Élève de l'École normale supérieure, il pratique régulièrement des exercices de plume destinés à assouplir son style, tout en poursuivant des études de philosophie qui le mèneront à l'agrégation, puis à un poste de maître de conférences.

Mélomane passionné d'art lyrique, il pousse sa jeune femme, Dominique, alors professeur de Lettres, à entreprendre une carrière de soprano. Après le décès tragique de cette dernière, Éric-Emmanuel Schmitt trouve dans le théâtre le lieu de sa véritable expression.

Il est encore professeur de philosophie en Normandie lorsque le succès de *La Nuit de Valognes* (1991) infléchit le cours de sa carrière. Le texte de cette pièce, consacrée à un Don Juan vieillissant, avait séduit Edwige Feuillère qui l'avait recommandé à plusieurs metteurs en scène. *Le Visiteur* (1993) prolonge ce premier succès : la pièce est couronnée par trois Molière en 1994 (Molière de la révélation théâtrale, Molière du meilleur auteur et Molière du meilleur spectacle du théâtre privé).

Dès lors, les créations théâtrales vont se succéder à un rythme étourdissant : *Golden Joe* en 1995, *Variations énigmatiques* en 1996, *Le Libertin* et *Milarepa* en 1997, *Hôtel des deux mondes* et *Monsieur Ibrahim et les fleurs du Coran* en 1999. Rien d'étonnant à ce qu'en juillet 2001, l'Académie française lui décerne le Grand Prix du Théâtre pour l'ensemble de son œuvre.

Éric-Emmanuel Schmitt n'oublie pas non plus son intérêt premier pour la musique en signant deux traductions françaises d'opéras de Mozart, *Les Noces de Figaro* (1997) et *Don Giovanni* (2001). Parallèlement, et de manière de plus en plus insistante, Éric-Emmanuel Schmitt s'exerce à l'art romanesque. *La Secte des égoïstes* (1994) lui permet de renouer avec sa formation de philosophe spécialiste du XVIIIe siècle (un essai, *Diderot ou la Philosophie de la séduction*, publié en 1997, reprend partiellement le sujet de sa thèse). *L'Évangile selon Pilate* (2000) et *La Part de l'autre* (2001) mettent en scène les deux figures les plus emblématiques de l'histoire de l'humanité, le Bien et le Mal absolus, Jésus et Hitler.

Éric-Emmanuel Schmitt s'est taillé une belle figure d'écrivain contemporain grâce à une écriture fluide et directe mise au service de thèmes éternels. Comme Michel Tournier, autre écrivain philosophe, il sait donner présence aux figures mythiques les plus populaires : Don Juan, Freud, Dieu, le Christ, Hitler... et enrichir son propos littéraire d'une culture philosophique qui ne manifeste ni cuistrerie, ni hermétisme.

CONTEXTE LITTÉRAIRE DU *VISITEUR*

Circonstances de la rédaction

Éric-Emmanuel Schmitt raconte dans les « Commentaires personnels » de son site Internet les circonstances de la rédaction du *Visiteur*. Un soir qu'il regardait le journal de 20 heures, la cruelle actualité du monde lui apparut dans toute son horreur, au point qu'il ressentit comme une souffrance personnelle les tourments de l'humanité. Ému aux larmes, il s'imagina dans la position d'un Dieu qui contemplerait les mêmes atrocités et se dit qu'il aurait de quoi être déprimé ! L'idée d'une dépression divine amena celle de la cure analytique et Éric-Emmanuel Schmitt eut à l'esprit l'image de Dieu allongé « sur le divan de Freud », puis, en contrepoint, celle de Freud psychanalysé par Dieu, ce dernier sondant suffisamment bien « les cœurs et les reins » pour faire un parfait analyste. C'est ainsi que germa l'idée d'un dialogue entre les deux « sommités » articulé autour du thème du Mal et de la souffrance.

Le Visiteur fut joué pour la première fois en septembre 1993, et remporta le plus vif succès. La variété des interprétations auxquelles la pièce donna lieu n'est sans doute pas étrangère à l'intérêt qu'elle suscita. *La Tribune juive* retrouva un écho des discussions contradictoires talmudiques dans ce dialogue dont le ton souvent léger et badin pour parler de l'horreur ressortissait à l'humour juif. Certains parlèrent de réflexion sur le dieu absent, d'autres d'un face-à-face semblable à celui qui avait réuni Faust et Méphistophélès, d'autres encore d'introduction plaisante aux grands thèmes de la psychanalyse ou d'évocation de la tourmente antisémite.

Hypothèse néo-freudienne sur les raisons d'un tel succès

Toutefois, nous ne résistons pas à faire l'hypothèse que la pièce dut l'essentiel de sa réussite à un phénomène collectif de fascination devant l'exhibition de scènes destinées, par leur nature même, à être cachées. Personne, en effet, ne voit jamais quiconque entrer en relation directe avec Dieu ; de même, nul n'assiste jamais, même un « superviseur » (analyste qui contrôle le travail d'un autre analyste en le recevant comme un patient), à l'échange de paroles qui a lieu, comme dans le secret d'un confessionnal, entre le psychanalyste et son patient. Schmitt dans *Le Visiteur* donne accès, par le jeu théâtral, à ce qui nous est définitivement défendu : le secret de la conversation avec Dieu et le secret de la séance analytique, donc le secret de l'intimité absolue, sont bafoués par la « di-vulgation » théâtrale. C'est en voyeurs satisfaits que nous assistons au confessionnal suprême, et l'excitation intellectuelle que procure la pièce, par sa construction, son esprit, sa thématique, rend encore plus suave cette furtive exploration d'un espace interdit. Et nous vouons à l'auteur une gratitude supplémentaire d'avoir vu ce qu'il ne fallait pas voir sans être pour autant frappés de stupéfaction et d'avoir écouté ce qui se doit d'être tu sans pour cela devenir sourds…

La condamnation de l'irresponsabilité, le retour de la foi et la Shoah comme figure du Mal suprême

Dans sa problématique, la pièce s'inscrit bien dans son époque. Les années 1980-1990 sont marquées par trois grands courants de pensée dont on retrouve des échos plus ou moins assourdis dans *Le Visiteur*.

On assiste tout d'abord, en cette fin de siècle, à l'accroissement d'un individualisme factice qui clone de plus en plus dans le même moule ceux qui n'ont que l'illusion de la liberté. Le sujet libre et responsable semble fondre pour laisser place à un individu « formaté » et querelleur, plus soucieux de ses droits que de ses devoirs, plus attiré par les plaisirs auxquels tout le monde se doit d'accéder que par une éthique de vie et un véritable engagement dans la cité. Des penseurs s'érigent contre cette attitude générale qui voit la responsabilité rejetée sur l'autre, quel qu'il soit, et le coupable s'innocenter de tous ses crimes en se présentant comme une victime. Le réquisitoire de Dieu contre les hommes va dans le même sens. Dans une courte pièce intitulée *L'École du diable* et jouée en 1996 dans le cadre d'une manifestation d'Amnesty International, Éric-Emmanuel Schmitt condamnait le « psychologisme » grâce auquel le recours à l'inconscient sert à innocenter : « [L'homme] sera convaincu que ce n'est pas lui, sa conscience, qui agit, mais son inconscient, une bête immonde en lui. […] Les hommes adorent s'innocenter. Ils se prendront pour des anges… » (*Théâtre*, 1999). Le freudisme est donc mis en accusation par Schmitt lorsqu'il sert à couvrir des attitudes irresponsables : de fait, dans la pièce, le personnage de Freud a quelques ridicules qui ne font pas de lui un maître à penser à l'abri de toute critique.

D'autre part, le XXᵉ siècle finissant voit le retour du religieux et du sacré. Le développement du bouddhisme dans le monde, après l'exil du dalaï-lama, l'arrivée de nouvelles spiritualités inspirées du mouvement « new age » américain dont Paolo Coehlo est un divulgateur bien connu, ont renforcé les particularismes religieux : les chrétiens ronronnants redeviennent mystiques, la jeunesse qui s'était détournée de la foi y revient. Dieu n'est plus un sujet pour vieilles barbes inspirées de Bernanos ou de Claudel : il devient un thème à la mode. De plus, la religion en tant que système de dogmes tend à disparaître au profit de pratiques spirituelles individuelles fondées essentiellement sur la foi et l'expérience intime du divin. C'est à une telle religion du mystère que convie *Le Visiteur* : si Dieu existe, il ne peut être atteint ni par la raison, ni par le dogme.

Enfin, les vingt dernières années ont vu se multiplier les œuvres consacrées au thème du génocide juif pendant la Seconde Guerre mondiale : les films, les romans sur le motif de la Shoah apparaissent moins comme des devoirs de mémoire que comme des retours de ce qui avait été refoulé comme insupportable. Les actes généreux de certains Justes ne font pas disparaître le sentiment de culpabilité quasi collectif de toute la population européenne à cet égard. De plus, « Le ventre est encore fécond d'où a surgi la bête immonde » (Brecht) : tapie dans les cerveaux embrumés d'anciens nazis et de leurs émules, elle montre parfois encore son visage hideux à l'occasion de telle ou telle manifestation antisémite. En outre, le motif de la persécution contre les juifs réactive dans les strates les plus profondes de l'inconscient collectif toutes les émotions possibles, les plus belles et les plus repoussantes, face au Mal suprême. Il est difficile de proposer une réflexion sur la question du Mal sans retravailler le motif de l'Holocauste. La figure de Freud, juif et, qui plus est, intellectuel, représente l'opprimé éternel face à toutes les forces de dégradation et de déshumanisation.

RÉSUMÉ DU *VISITEUR*

Scènes 1 à 3

Au lendemain de l'invasion de l'Autriche par les troupes nazies, Sigmund Freud et sa fille reçoivent la visite de la Gestapo. Anna Freud est emmenée. Le vieux psychanalyste, très malade, qui hésitait encore à quitter l'Autriche, se résout à signer le document qui autorise sa famille à s'exiler, en laissant une partie de ses biens.

Scène 4

Fait alors irruption dans son appartement un énigmatique visiteur que Freud prend d'abord pour un voleur, puis pour un patient venu inopportunément demander de l'aide. L'ayant allongé sur le divan, Freud hypnotise l'Inconnu et entreprend son analyse. Mais, bien vite, les rôles se renversent : cet homme en sait au moins autant sur Freud que Freud lui-même. Commence à germer dans l'esprit du psychanalyste une hypothèse qu'il a du mal à admettre : l'Inconnu parle comme s'il était une incarnation de Dieu !

Scènes 5 à 7

Entre-temps, le Nazi revient pour se livrer sur Freud à un odieux chantage : Anna aura la vie sauve si Freud se montre généreux. L'Inconnu aide alors le vieux docteur à imaginer un stratagème pour se défendre. Le psychanalyste suggère ainsi au Nazi qu'au vu de son nez, il pourrait le dénoncer comme étant d'origine juive. Le « gestapiste », effrayé, promet de ramener Anna au plus tôt, non sans avoir averti Freud qu'un fou échappé de l'asile rôde dans son quartier.

Scène 8

Freud pense un instant reconnaître dans son visiteur le mythomane évadé qui se ferait passer pour Dieu. Pris de pitié pour cet homme malade, il lui demande de rester pour une thérapie, puis s'abandonne à une confession où désespérance et profession de foi athée se côtoient. Enfin, le vieil analyste manifeste toute la colère qu'il éprouve contre ce Dieu hypothétique qui ne tient aucune des promesses qu'il a faites à l'homme. L'Inconnu se fait alors le défenseur de Dieu et accuse l'humanité d'être la cause de tous ses maux. En désespoir de cause, Freud somme son visiteur de prouver qu'il est Dieu en faisant un miracle. L'Inconnu se moque de lui.

Scènes 9 et 10

Le Nazi revient et annonce qu'on a retrouvé le fou. Freud doit se rendre à l'évidence, l'Inconnu est sans doute une incarnation divine. Dieu est venu rappeler quelques vérités oubliées : il a créé les hommes par amour, libres et, donc, pleinement responsables ; bien qu'ils aient souvent mis cette liberté au service du Mal, le fait qu'ils puissent créer la beauté les rachète.

Scènes 11 à 17

Le doute saisit de nouveau Freud avec le retour d'Anna qui reconnaît dans l'Inconnu un homme la poursuivant de ses assiduités. Le psychanalyste renonce définitivement à la raison et exige un miracle de l'Inconnu qui se dérobe, refusant la résolution de l'énigme pour préserver le mystère de Dieu. Freud tire alors sur lui au moment où il s'échappe par le balcon : s'il est vraiment Dieu, il en réchappera ! Mais Freud rate son tir : il ne saura jamais qui était vraiment son mystérieux visiteur.

Éric-Emmanuel Schmitt
Le Visiteur

PERSONNAGES
(par ordre d'entrée en scène)

Sigmund Freud
Anna Freud, sa fille
Le Nazi
L'Inconnu

L'action se passe en un seul acte, en temps réel, le soir du 22 avril 1938, c'est-à-dire entre l'invasion de l'Autriche par les troupes hitlériennes (11 mars) et le départ de Freud pour Paris (4 juin).

La scène représente le cabinet du docteur Freud, au 19 Berggasse, à Vienne. C'est un salon austère aux murs lambris-sés de bois sombre, aux bronzes rutilants, aux lourds doubles rideaux. Deux meubles organisent la pièce : le divan et le bureau.
5 *Cependant, délaissant cet extrême réalisme, le décor s'évanouit à son sommet ; au-delà des rayons de la bibliothèque, il s'élève en un magnifique ciel étoilé soutenu, de-ci de-là, par les ombres des prin-cipaux bâtiments de la ville de Vienne. C'est un cabinet de savant ouvert sur l'infini.*

SCÈNE 1
FREUD, ANNA.

10 *Freud range lentement ses livres dans la bibliothèque, livres qui ont été jetés à bas par on ne sait quelle violence. Il est âgé mais le regard est vif et l'œil noir. Chez cet être énergique, la vieillesse semble une erreur. Tout au long de la nuit, il toussera discrètement et laissera échapper quelques grimaces : sa gorge, dévorée par le*
15 *cancer[1], le fait déjà souffrir.*
Anna paraît plus épuisée que son père. Assise sur le sofa, elle tient un volume entre ses mains et bâille en croyant lire. C'est une femme sévère, un peu bas-bleu[2], un des premiers prototypes de femmes intellectuelles du début du siècle, avec tout ce que cela com-

---

1. Depuis 1923, Freud est atteint d'un cancer à la mâchoire. En seize ans, il subira trente et une opé-rations et mourra en 1939 en ayant connu de terribles souffrances.
2. Terme péjoratif désignant une intellectuelle pédante et sans élégance, ayant des prétentions littéraires.

20 *porte de légèrement ridicule ; mais elle échappe à sa caricature par*
ses regards d'enfant et, peint sur son visage, son profond, son très
grand amour pour son père[1].

FREUD : Va te coucher, Anna.

Anna secoue faiblement la tête pour dire non.

25 Je suis sûr que tu as sommeil.

Anna nie en réprimant un bâillement.

On entend alors, un peu plus fort qu'avant, montant de la
fenêtre ouverte, les chants d'un groupe de nazis qui passe. Freud
s'éloigne instinctivement de la fenêtre.

30 *(Pour lui-même.)* Si, au moins, ils chantaient mal...

Anna vient de piquer de la tête sur son livre. Tendrement,
Freud, passant par-derrière le sofa, l'entoure de ses bras.

Ma petite fille doit aller dormir.

ANNA *(se réveillant, étonnée)* : Où étais-je ?

35 FREUD : Je ne sais pas... Dans un rêve[2]...

ANNA *(toujours étonnée)* : Où va-t-on lorsque l'on dort ?
Lorsque tout s'éteint, lorsqu'on ne rêve même pas ? Où est-ce
qu'on déambule ? *(Doucement.)* Dis, papa, si nous allions nous
réveiller de tout cela, de Vienne, de ton bureau, de ces murs, et

40 d'eux... et si nous apprenions que tout cela, aussi, n'était qu'un
songe[3]... où aurions-nous vécu ?

---

1. Anna, l'enfant préférée de Freud et son héritière spirituelle, fut psychanalysée par Freud lui-même et... devint la première psychanalyste d'enfants. Elle ne se maria jamais, mais entretint pendant des années une relation homosexuelle avec Dorothy Burlingham.
2. Freud est surtout connu pour ses travaux sur l'interprétation des rêves.
3. Plusieurs questions philosophiques sont évoquées dans ce paragraphe : qu'est-ce qu'une conscience qui n'est pas conscience de quelque chose (*cf.* Merleau-Ponty, Sartre) ? Comment distinguer le rêve de la réalité (*cf.* Descartes et son hypothèse du malin génie) ?

FREUD : Tu es restée une petite fille. Les enfants sont spontanément philosophes : ils posent des questions.

ANNA : Et les adultes ?

45 FREUD : Les adultes sont spontanément idiots : ils répondent.

Anna bâille de nouveau.

Allons, va te coucher. *(Insistant.)* Tu es grande maintenant.

ANNA : C'est toi qui ne l'es plus.

50 FREUD : Quoi ?

ANNA *(avec un sourire)* : Grand.

FREUD *(répondant à son sourire)* : Je suis vieux[1], c'est vrai.

ANNA *(doucement)* : Et malade.

FREUD *(en écho)* : Et malade. *(Comme pour lui-même.)* C'est
55 si peu réel… l'âge, c'est abstrait[2], comme les chiffres…
Cinquante, soixante, quatre-vingt-deux ? Qu'est-ce que cela
veut dire ? Ça n'a pas de chair, ça n'a pas de sens, les nombres,
ça parle de quelqu'un d'autre. Au fond de soi, on ne sait jamais
l'arithmétique.

60 ANNA : Oublie les chiffres ; eux ne t'oublieront pas.

FREUD : On ne change pas, Anna, c'est le monde qui change,
les hommes qui se pressent, les bouches qui chuchotent, et les
hivers plus froids, et les étés plus lourds, les marches plus hautes,
les livres écrits plus petit, les soupes qui manquent de sucre,
65 l'amour qui perd son goût, … c'est une conspiration des autres[3]

---

1. Freud a alors 82 ans.
2. Écho de l'opposition établie par le philosophe Bergson entre le temps, donnée objective et
sociale, et la durée, perception individuelle et fluctuante du temps objectif.
3. Référence à Sartre : « L'enfer, c'est les autres » *(Huis clos)*.

car au fond de soi on ne change pas. *(Bouffonnant brusquement.)* Vois-tu, le drame de la vieillesse, Anna, c'est qu'elle ne frappe que des gens jeunes! *(Anna bâille.)* Va te coucher.

ANNA *(agacée par les chants)* : Comment font-ils pour être si
70 nombreux à crier dans les rues?

FREUD : Ce ne sont pas des Viennois. Les Allemands amènent des partisans par avions entiers et ils les lâchent sur les trottoirs. *(Obstiné.)* Il n'y a pas de nazis viennois[1].

Il tousse assez durement. Anna fronce les sourcils.

75 ANNA : Non, il n'y a pas de nazis viennois… Mais j'ai vu ici des pillages et des humiliations bien pires qu'en Allemagne. J'ai vu les SA traîner un vieux couple d'ouvriers dans la rue pour les forcer à effacer sur les trottoirs d'anciennes inscriptions en faveur de Schuschnigg[2]. La foule hurlait : "Du travail[3] pour les
80 juifs, enfin du travail pour les juifs!" "Remercions le Führer qui donne leur vrai travail aux juifs!" Plus loin, on battait un épicier devant sa femme et ses enfants… Plus loin les corps des juifs qui s'étaient jetés par la fenêtre en entendant les SA[4] monter leurs escaliers… Non, père, tu as raison, il n'y a pas de nazis vien-
85 nois… il faudrait inventer un nouveau terme pour l'immonde!

Freud est pris d'une quinte de toux encore plus douloureuse.

---

1. Amèrement ironique dans la bouche de Freud. Au référendum du 10 avril 1938, 99,7 % des Autrichiens votèrent en faveur de l'annexion de l'Autriche à l'Allemagne !
2. Chancelier de l'Autriche depuis 1934, il sera déporté à Dachau après l'annexion de l'Autriche à l'Allemagne.
3. À l'entrée du camp d'Auschwitz, on pouvait lire ces mots à l'ironie cynique : *Arbeit macht frei* (« le travail rend libre »).
4. Section armée du parti nazi (abréviation de *Sturmabteilung* : « section d'assaut »).

Signe le papier, papa, que nous puissions partir !

FREUD : Ce papier est infâme.

ANNA : Grâce à tes appuis de l'étranger[1], nous avons la chance
90 de pouvoir quitter Vienne, et officiellement. Dans quelques
semaines, il faudra fuir. N'attends pas que cela devienne impossible.

FREUD : Mais Anna, la solidarité ?

ANNA : Solidarité avec les nazis ?

95 FREUD : Avec nos frères, nos frères d'ici, nos frères qu'on
vole, qu'on humilie, qu'on réduit à néant. C'est un privilège
odieux que de pouvoir partir.

ANNA : Tu préfères être un juif mort ou bien un juif vivant[2] ?
S'il te plaît, papa, signe.

100 FREUD : Je verrai. Va te coucher.

Anna secoue négativement la tête.

Tête de bois.

ANNA : Tête de Freud.

FREUD *(regardant par la fenêtre et changeant de ton, rompant*
105 *l'espèce de badinage tendre qui liait le père à sa fille)* : Tu me
traites comme un condamné à mort[3].

ANNA *(très vite)* : Papa...

FREUD : Et tu as raison : nous sommes tous des condamnés

---

1. Il s'agit essentiellement de l'influence conjuguée du psychanalyste anglais et premier biographe
de Freud, Ernest Jones, et de la princesse Marie Bonaparte, psychanalyste française.
2. Référence au proverbe tiré de la Bible : « Un chien vivant vaut mieux qu'un lion mort. »
(Ecclésiaste, 9, 4).
3. Comme si j'allais mourir bientôt, avant l'heure.

à mort et moi je pars avec le prochain peloton. *(Il se retourne*
110 *vers elle et s'approche.)* Ce ne sont pas les nazis ou le destin de
l'Autriche qui te font rester ici chaque soir ; tu t'attaches à moi
comme si j'allais m'évanouir d'une minute à l'autre, tu tres-
sailles dès que je tousse, déjà tu me veilles. *(Il l'embrasse sur le*
front.) Mais... ne sois pas trop douce, ma fille. Ne vous mon-
115 trez pas trop tendres, ni ta mère, ni toi, sinon, je... je vais...
m'incruster... ne me rends pas le départ trop difficile.

Anna a compris et se lève.

ANNA : Bonsoir papa. Je crois que j'ai sommeil.

Elle s'approche et tend son front.

120 *Freud va pour l'embrasser.*

SCÈNE 2

L'OFFICIER NAZI, FREUD, ANNA.

On entend frapper durement à la porte. Bruits de bottes derrière le battant.

Puis, sans attendre de réponse, le Nazi fait irruption.

LE NAZI : Gestapo[1] ! *(Parlant derrière lui à ses hommes.)*
5 Restez là, vous autres.

On entend des bruits de bottes dans le couloir.

Les yeux de Freud luisent de colère.

Le Nazi fait le tour du propriétaire en prenant son temps.

Une petite visite amicale, docteur Freud... *(Regardant la*
10 *bibliothèque.)* Je vois que nous avons commencé à ranger nos livres. *(Se voulant fin et ironique.)* Désolé de les avoir tant bousculés la dernière fois...

Il en fait tomber d'autres.

FREUD *(sur le même ton)* : Je vous en prie : c'était un plai-
15 sir d'avoir à traiter avec de véritables érudits[2].

Le Nazi laisse traîner son regard méfiant sur les rayons.

ANNA : Qu'est-ce que vous en avez fait, cette fois-ci ? Vous les avez brûlés[3], comme toutes les œuvres de mon père ?

---

1. Acronyme de *Ge (heime) Sta (ats) Po (litzei)* : police politique nazie aux pratiques particulièrement violentes.
2. Très savants ; littéralement, qui ont été tirés de la grossièreté et de l'inculture. L'ironie est flagrante.
3. Allusion aux brasiers dans lesquels les nazis brûlaient publiquement les livres interdits par le régime. Les œuvres de Freud furent brûlées à Berlin en mai 1933. On appela autodafés ces crémations, en référence aux cérémonies de l'Inquisition où l'on brûlait les hérétiques ou les sorciers sur des bûchers.

FREUD : Ne sous-estime pas le progrès, Anna! Au Moyen
Âge, ils m'auraient brûlé ; à présent, ils se contentent de brûler
mes livres[1].

LE NAZI *(entre ses dents)* : Il n'est jamais trop tard pour bien
faire[2].

Anna a, d'instinct, un geste protecteur pour son père.

FREUD *(toujours ironique, ne se laissant pas impressionner)* :
Avez-vous trouvé ce que vous cherchiez? Des documents antinazis, n'est-ce pas? Ils ne se cachaient pas dans les volumes que
vous avez emportés? *(Le Nazi a un geste d'impatience. Freud
prend la mine de celui qui comprend.)* Je vous dois une confidence : effectivement, vous n'auriez su les dénicher là... car...
(Il baisse la voix.) ... les documents antinazis les plus impor-
tants sont conservés... si, si... *(Intéressé, le Nazi s'approche.)* ...
je vais vous le dire... *(Prenant son temps.)* ... ils sont conservés... *(Freud se désigne.)* ... ici !

ANNA *(se désignant aussi)* : Et là!

Le Nazi les toise de façon menaçante.

LE NAZI : Humour juif[3], je présume?

FREUD *(poursuivant sa provocation)* : C'est vrai : je ne savais
plus que j'étais juif, ce sont les nazis qui me l'ont rappelé. Ils
ont bien fait; c'est une aubaine de se retrouver juif devant des
nazis. D'ailleurs, si je ne l'avais pas déjà été, j'aurais voulu le

---

1. C'est littéralement la phrase prononcée par Freud à l'un de ses invités, aux dires de sa femme de
chambre, Paula Fichtl.
2. Allusion évidente aux fours crématoires des camps de concentration.
3. Forme d'humour réputée, caractérisée par son goût du paradoxe et son caractère d'autodérision.

devenir. Par colère ! Méfiez-vous : vous allez déclencher des vocations.

Le Nazi fait alors tomber sciemment quelques livres de plus.

45 *Puis il saisit une statuette antique[1]. Freud a un geste d'inquiétude.*

LE NAZI : Dites-moi, ça a de la valeur, ces vieux trucs ?

ANNA : Attention !

FREUD *(faisant taire sa fille)* : Non, aucune valeur. Héritage. Je pensais les jeter… vous en voulez une ?

50 LE NAZI *(la remettant à sa place)* : Ah non, c'est trop moche.

Anna et Freud soupirent de soulagement.

ANNA *(a du mal à retenir sa colère)* : Avez-vous des ordres ? Qui vous autorise à venir nous piller tous les jours ?

LE NAZI : Quelqu'un m'a parlé ?

55 ANNA : Vous m'avez parfaitement entendu : je vous demande qui vous ordonne ou qui vous autorise à venir nous harceler tous les jours ?

LE NAZI *(à Freud)* : C'est curieux ici… j'entends des voix…

ANNA : J'ai l'impression que vous prenez bien trop d'initia-
60 tives, pour un simple inspecteur de la Gestapo. Vous devriez vous rappeler que nous avons des soutiens dans le monde entier, que Roosevelt et même Mussolini[2] sont intervenus auprès de votre Führer pour nous défendre et exiger qu'on nous laisse partir.

---

1. Freud était un grand collectionneur d'antiquités, notamment égyptiennes.
2. Roosevelt, président des États-Unis, était intervenu par l'intermédiaire de son ambassade en Autriche, Mussolini également (Freud, en 1933, avait dédicacé un livre au Duce en le saluant comme « héros de la culture » pour avoir encouragé les fouilles archéologiques).

65   LE NAZI *(jouant toujours)* : Tiens c'est curieux : maintenant je n'entends plus rien.

ANNA *(violente)* : Alors décampez !

LE NAZI *(sur un sursaut)* : Pardon ?

ANNA : Cela suffit, maintenant ! Décampez, et dites à vos
70 sales bonshommes de ne pas traîner leurs fusils par terre comme la dernière fois. Émilie a passé trois jours à récupérer le parquet.

LE NAZI : Dis, la youpine[1], à qui crois-tu parler ?

ANNA : Ne me le demande pas !

FREUD : Anna !

75 *Le Nazi va pour frapper Anna quand Freud s'interpose entre eux et, soutenant le regard du Nazi sans se démonter, dit rapidement, d'une voix plus sèche.*

FREUD : Anna, va chercher l'argent.

LE NAZI *(subitement détendu, avec un sourire de carnassier)* :
80 Comme vous me connaissez bien, docteur Freud !

FREUD : Ce n'est pas très difficile.

ANNA : Mais père, il n'y a plus d'argent.

FREUD : Le coffre-fort.

Il indique le fond de la pièce. Anna s'y rend, soulève le tableau
85 *puis ouvre le coffre-fort qui se trouve derrière. Freud, au Nazi, sur le ton d'une politesse très mondaine.*

Vous n'y aviez pas pensé ?

LE NAZI : Ces chiens de juifs ont toujours un os enterré quelque part.

---

1. Féminin de « youpin », terme injurieux et raciste désignant un juif.

90 FREUD : Plaignez-vous.

ANNA *(à son père)* : Pourquoi leur donner encore de l'argent ?

FREUD : Pour avoir la paix.

ANNA : Alors je ne conçois pas ce que serait la guerre.

FREUD : Fais-leur confiance : ils ont plus d'imagination que 95 toi.

ANNA *(au Nazi, en posant l'argent sur la table)* : Prenez.

LE NAZI : Il y a combien ?

FREUD : Six mille schillings.

LE NAZI : Mazette !

100 *Sifflement admiratif.*

FREUD : N'est-ce pas ? Vous pouvez être fier de vous : moi, je n'ai jamais gagné autant en une seule séance[1].

LE NAZI *(saisissant la somme)* : Ce qui me dégoûte, chez vous, les juifs, c'est que vous ne résistez même pas.

105 ANNA *(ne pouvant plus contenir sa colère, explose)* : Maintenant que vous avez votre argent, vous vous taisez et vous partez.

FREUD : Anna !

ANNA *(à son père)* : Parce qu'un imbécile se met à crier avec 110 d'autres imbéciles, il faudrait se laisser faire ?

FREUD : Anna !

ANNA : Papa, as-tu vu comme ses bottes brillent ? Du marbre noir. Sûr qu'il doit passer des heures à les astiquer, ses bottes !

---

1. Il s'agit d'une séance d'analyse dans le cadre d'une cure psychanalytique. Freud en prescrivait plusieurs par semaine à ses patients.

(Au Nazi.) Tu te sens heureux, n'est-ce pas, quand, après les
115   avoir couvertes de cirage, tu les fais reluire avec tes premiers
coups de brosse ?

LE NAZI : Mais…

ANNA : Ensuite tu passes le chiffon, tu frottes, tu frottes,
elles luisent, elles s'arrondissent ; et plus elles brillent, plus tu te
120   sens soulagé. Depuis combien de temps n'as-tu pas fait
l'amour ? Auprès des femmes, n'est-ce pas, tu as beaucoup plus
de mal à te faire reluire[1] ?

LE NAZI : Je l'emmène !

ANNA : Ah bon ?

125   LE NAZI : À la Gestapo !

ANNA : Il veut que je lui en raconte d'autres, il a besoin
qu'on lui parle de lui… Tu veux que je t'explique pourquoi tu
passes, chaque matin, dix bonnes minutes à te faire la raie au
milieu, presque cheveu par cheveu. Et ta manie du repassage !
130   Et tes ongles que tu manges[2] ! Tu veux que je t'explique pourquoi tu méprises les femmes et bois de la bière avec les
hommes[3] ?

LE NAZI *(la prend par le bras)* : À la Gestapo !

FREUD : Ne faites pas ça ! Ne faites pas ça !

135   ANNA : Laisse, père ! Pourquoi aurais-je peur d'une telle
bande de lâches ?…

---

1. La connotation sexuelle est évidente. Anna procède avec le Nazi à une « psychanalyse sauvage »
dans laquelle se manifeste néanmoins, même grossièrement, le principe du « déplacement » (*cf.*
« À savoir », p. 109).
2. Autant de symptômes névrotiques (*cf.* note 1, p. 35).
3. Allusion à l'homosexualité refoulée ou affichée dans les groupes nazis, notamment parmi les SA.

LE NAZI : Tu sais ce qu'il peut t'en coûter de parler ainsi ?

ANNA : Mieux que toi, visiblement.

Le Nazi s'approche, la main relevée, pour la frapper.

140 FREUD : Ma petite fille !

ANNA *(soutenant l'assaut)* : Tu n'es qu'un pion, inspecteur, et un pion qui connaît mal les règles du jeu ! Tu ne sais pas que nous partons ? Le monde entier sait que nous partons.

LE NAZI : À la Gestapo ! Je l'emmène à la Gestapo !

145 ANNA : C'est cela, va grossir le troupeau : tu te sentiras plus fort[1].

LE NAZI *(à Freud)* : Regarde-la bien une dernière fois, le juif.

ANNA : Ne t'inquiète pas, papa. Ils te font peur parce qu'il est trop tard, ils ne peuvent plus rien contre nous.

150 LE NAZI : Ah oui ? Elle est laide et elle se croit intelligente ! Tu as vraiment bien réussi ta fille, le juif.

Il emmène Anna en la tirant violemment par le bras.

ANNA *(en disparaissant)* : Le papier, papa, signe simplement le papier ! Et ne dis rien à maman. Mais signe le papier, sinon 155 nous n'obtiendrons jamais le visa de sortie. *(Se dégageant de l'étreinte du Nazi.)* Lâchez-moi ! Je vous suis...

Ils disparaissent.

Le Nazi claque la porte.

---

1. La caractéristique essentielle des fascismes est l'abandon de la volonté propre à celle du groupe doté d'un pouvoir auquel l'individu s'identifie.

SCÈNE 3
FREUD SEUL.

FREUD *(effaré, répétant machinalement)* : Le papier, le papier ! Anna !... Anna...
Il fait un violent effort pour se calmer. Il s'essuie le front et s'approche du bureau où règne un certain désordre. Toujours ma-
5 *chinalement, mais plus paisible :*
Le papier...
Il est alors traversé par une idée. Il prend le téléphone et, sans hésiter, forme un numéro.
Allô, l'ambassade des États-Unis ? Professeur Freud à l'appa-
10 reil. Pouvez me passer monsieur Wiley[1] ? Freud ! C'est urgent !
(Un temps.) Allô, monsieur l'ambassadeur ? Freud à l'appareil. Ils viennent d'emmener Anna... ma fille... mais la Gestapo ! Faites quelque chose, je vous en prie, faites quelque chose... oui, oui je vous promets, je signerai ce papier... oui, vous me rappelez !
15 *Il raccroche, angoissé. Puis il dit, trop tard, au combiné reposé :*
Merci.
Il se souvient alors de ce que lui ont demandé Anna et l'ambassadeur...
Le papier... le papier...
20 *Il trouve le courrier en question et s'assied derrière son bureau. Il relit avant de signer.*

---

1. Il s'agit du chargé d'affaires de l'ambassade américaine à Vienne, contacté par la compagne d'Anna Freud, Dorothy Burlingham, qui permit à la famille Freud de quitter l'Autriche sans encombre.

"Je soussigné, professeur Freud, confirme qu'après l'Anschluss[1] de l'Autriche avec le Reich allemand, j'ai été traité par les autorités allemandes, et la Gestapo en particulier, avec tout le respect et la considération dus à ma réputation scientifique, que j'ai pu vivre et travailler en pleine liberté, que j'ai pu continuer à poursuivre mes activités de la façon que je souhaitais, que j'ai pu compter dans ce domaine sur l'appui de tous, et que je n'ai pas la moindre raison de me plaindre."

Avec un soupir, il va pour signer lorsqu'il est pris d'une inspiration soudaine. Retrempant sa plume, il ajoute :

"Post-scriptum : Je puis cordialement recommander la Gestapo à tous[2]."

Et il signe.

Il met de la poudre sur la feuille pour sécher l'encre.

---

1. L'invasion de l'Autriche eut lieu le 11 mars 1938 ; Hitler parada dans Vienne le 14 mars et, le 15 mars, l'*Anschluss* (de l'allemand : rattachement, celui de l'Autriche à l'Allemagne) fut proclamé.
2. La déclaration écrite contient les termes exacts du document signé par Freud comme l'une des conditions pour obtenir un visa de sortie, le post-scriptum y compris.

SCÈNE 4

FREUD, L'INCONNU.

L'Inconnu repousse les doubles rideaux et apparaît brusquement.
On ne l'a pas vu passer le rebord de la fenêtre. Sa venue doit sem-
bler à la fois naturelle et mystérieuse.

Il est élégant, un peu trop même : frac[1], gants, cape, canne à
5 *pommeau, on dirait un dandy[2] qui sort de l'Opéra.*

Il regarde Freud avec sympathie.

Celui-ci, se sentant observé, se retourne.

L'INCONNU *(très naturellement)* : Bonsoir.

Freud se lève brusquement, s'appuyant sur le bureau.

10 FREUD : Quoi! Qui êtes-vous?

Silence.

Que voulez-vous?

L'Inconnu sourit mais ne répond toujours pas.

Par où êtes-vous entré?

15 *L'Inconnu reste aimable et silencieux.*

Que venez-vous faire ici? *(Croyant comprendre qu'il s'agit*
d'un voleur.) Il n'y a plus d'argent, vous arrivez trop tard.

L'INCONNU *(avec une moue)* : Je vous préférais lorsque vous
posiez des questions.

20 FREUD : Qui êtes-vous?

---

1. Habit de cérémonie, généralement noir, serré à la taille avec des basques descendant de chaque côté des hanches (sorte de queue-de-pie).
2. Terme anglais du XIXᵉ siècle désignant un homme d'une élégance extrême, qui cherche par sa manière d'être et de se vêtir à se distinguer à tout prix de ses contemporains.

L'Inconnu sourit, peu disposé à répondre.
Freud, n'y tenant plus, ouvre alors le tiroir de son bureau et en
extrait un revolver. Mais, au moment de le pointer vers l'Inconnu,
il se sent un peu ridicule et le garde entre ses mains.
25 *(Articulant très distinctement.)* Qui êtes-vous ?

L'INCONNU *(légèrement)* : Vous ne me croiriez pas. Et ce n'est
pas ce jouet qui vous y aidera. *(L'Inconnu s'approche du sofa[1] et*
s'y laisse élégamment tomber.) Causons, voulez-vous ?

FREUD *(posant l'arme)* : Monsieur, je ne parle pas à un homme
30 qui entre chez moi par effraction et refuse de se présenter.

L'INCONNU *(se levant)* : Très bien, puisque vous insistez…
Il va prestement derrière le rideau, y disparaît deux secondes. Il
en ressort essoufflé, les vêtements en désordre. Voyant Freud et sem-
blant le découvrir, il se précipite vers lui, tombe à ses pieds.
35 Monsieur, monsieur, je vous en prie, sauvez-moi ! Sauvez-
moi, ils me poursuivent. *(Il joue à la perfection.)* Ils sont là, derrière moi… *(Il court à la fenêtre et semble apercevoir des hommes*
en bas.) La Gestapo ! Ils m'ont vu. Ils entrent dans l'immeuble !
(Il se jette à nouveau aux pieds de Freud.) Sauvez-moi, ne dites
40 rien !

FREUD *(un instant pris au jeu)* : La Gestapo ?

L'INCONNU *(le suppliant de manière trop théâtrale)* : Cachez-
moi ! Cachez-moi !

---

1. Lit de repos sans dossier, synonyme de divan. Le divan est le terme consacré pour désigner le meuble où s'allonge le patient pendant l'analyse, le psychanalyste étant assis derrière lui, à son chevet, de telle sorte que le patient sent qu'il est écouté sans pour autant voir celui qui l'écoute. Le sofa évoque moins le cabinet d'un psychanalyste que la loge d'un acteur.

FREUD *(dégrisé, le repoussant assez violemment)* : Laissez-moi
45 tranquille !

L'INCONNU *(cessant subitement son jeu)* : N'avez-vous pas de
pitié pour une victime ?

FREUD : Pour une victime, oui ; pas pour un simulateur[1].

L'Inconnu se relève.

50 L'INCONNU : Alors ne me demandez pas de vous raconter
des histoires.

FREUD *(se ressaisissant et parlant avec autorité)* : Écoutez : je
peux faire deux hypothèses pour expliquer votre irruption ici :
soit vous êtes un voleur, soit vous êtes un malade. Si vous êtes
55 un voleur, vos confrères de la Gestapo sont passés avant vous
sans vous laisser une miette. Si vous êtes un malade, vous...

L'INCONNU : Quelle serait la troisième hypothèse ?

FREUD : Vous n'êtes pas un malade ?

L'INCONNU *(à qui ce mot est désagréable)* : Malade, le vilain
60 mot, comme un coup de main que la santé donnerait à la
mort !

FREUD : Et pourquoi viendriez-vous, sinon ?

L'INCONNU *(mentant)* : On peut trouver bien d'autres raisons : la curiosité, l'admiration.

65 FREUD *(haussant les épaules)* : C'est ce que disent tous mes
malades !

L'INCONNU *(mentant)* : Je viens peut-être pour quelqu'un
d'autre...

---

1. Personne qui joue la comédie pour masquer sa véritable personnalité.

FREUD *(idem)* : C'est ce qu'ils disent ensuite.

70 L'INCONNU *(agacé)* : Bon... eh bien même, admettons que j'ai besoin de vous... que me proposez-vous ?

FREUD : De prendre rendez-vous ! *(Le poussant vers la porte.)* À bientôt, monsieur, à une heure qui nous conviendra à tous deux et dont nous aurons décidé tous les deux[1]. À dans quelques jours.

75 L'INCONNU *(l'arrêtant)* : Impossible. Car demain, je ne serai plus là, et dans huit semaines, vous non plus[2].

FREUD : Pardon ?

L'INCONNU : Vous serez à Paris, chez la princesse Bonaparte... puis à Londres, à Maresfield Gardens[3]... si ma 80 mémoire est bonne...

FREUD : Maresfield Gardens ?... mais... vous pouvez dire ce que vous voulez, je n'en sais rien... je n'ai rien prévu...

L'INCONNU : Si, si. Vous y serez bien. Vous aimerez le printemps londonien, vous serez fêté, et vous parviendrez à finir 85 votre livre sur Moïse[4].

FREUD : Je vois que vous lisez la presse scientifique.

L'INCONNU : Comment l'appellerez-vous, déjà ? *Moïse et le monothéisme.* Je préfère d'ailleurs ne pas vous dire ce que j'en pense.

---

1. La prise en compte de l'autre dans ses besoins et ses désirs est au cœur de la cure analytique.
2. Allusion au départ de Freud pour la France, le 4 juin 1938.
3. Le 20, Maresfield Gardens, dans le quartier de Hampstead à Londres, fut la dernière résidence de Freud. La maison est devenue un musée.
4. Il s'agit de l'ouvrage *Moïse et le Monothéisme*, traduit plus précisément de l'allemand sous le titre *L'Homme Moïse et la Religion monothéiste*, auquel s'est attelé Freud dès 1934. Dans ce texte qui ne sera achevé qu'à la veille de sa mort en 1939, Freud fait l'hypothèse que Moïse était un Égyptien adepte d'un culte monothéiste (inspiré par le pharaon Akhenaton) auquel il aurait converti le peuple juif.

90 FREUD *(l'interrompant)* : Je n'ai pas encore choisi le titre! *(Répétant pour lui-même, intéressé par la proposition de l'Inconnu.) Moïse et le monothéisme...* pourquoi pas? la suggestion est b... Vous vous intéressez à la psychanalyse[1]?

L'INCONNU : À vous seulement.

95 FREUD : Qui êtes-vous?

L'INCONNU *(reprenant son évocation précédente)* : Mais le plus étrange est que vous regretterez Vienne.

FREUD *(violemment)* : Sûrement pas.

L'INCONNU : On ne savoure le goût du fruit qu'après l'avoir 100 mangé; et vous êtes de ces hommes qui n'ont de paradis que perdu. Oui, vous regretterez Vienne... Et vous la regrettez déjà puisque, depuis un mois, vous refusez de partir.

FREUD : C'était par optimisme. Je croyais que la situation allait s'arranger.

105 L'INCONNU : C'était par nostalgie. Vous avez joué en culottes courtes dans le Prater[2], vous avez proclamé vos premières théories dans les cafés, vous avez marché, enlacé à votre premier amour, le long du Danube[3], puis vous avez voulu mourir dans ses eaux glauques... À Vienne, c'est votre jeunesse que 110 vous laissez. À Londres, vous ne serez qu'un vieillard. *(Très vite, pour lui-même.)* Et comme je vous envie pourtant...

---

1. Discipline dont Freud est le fondateur inspiré et qui repose sur l'idée que la parole peut faire sortir de l'inconscient ce qui, resté enfoui, ne permettrait pas à un être humain d'évoluer dans sa liberté et son courage.
2. Célèbre parc d'attractions viennois.
3. Ce fleuve baigne la ville de Vienne. Tout le monde connaît, parmi les valses viennoises, *Le Beau Danube bleu* ; ici, le fleuve a des eaux « glauques », sinistrement verdâtres et troubles.

FREUD : Qui êtes-vous ?

L'INCONNU : Vous ne me croiriez pas.

FREUD *(pour en finir avec l'incertitude)* : Alors sortez !

115 L'INCONNU : Comme vous devez être las du monde pour vous débarrasser si tôt de moi. Je vous aurais cru plus accueillant envers les malades, docteur Freud. Vous me mettez dehors. Est-ce comme cela qu'on traite un névrosé[1] ? Lorsque vous êtes le seul recours ? Imaginez que je vous quitte pour aller 120 me jeter sous une voiture ?

Freud, sincèrement surpris par son comportement, se laisse choir sur le sofa.

FREUD : Vous tombez mal, ce soir, il n'y a plus de docteur Freud... Guérir les autres... Croyez-vous que soigner les 125 hommes m'empêche, moi, de souffrir ? Il est même des soirs où j'en veux presque aux autres de les avoir sauvés ; je suis si seul, moi, avec ma peine. Sans recours...

L'INCONNU : Elle reviendra. *(Freud a un geste interrogatif.)* Anna. Ils la garderont peu de temps. Ils savent très bien qu'ils 130 ne peuvent pas la garder. Et vous la tiendrez dans vos bras, lorsqu'elle reviendra, et vous l'embrasserez avec ce bonheur qui n'est pas loin du désespoir, avec ce sentiment que la vie ne tient qu'à un fil, un fil si étroit, si mince, et que le fil se trouve, provisoirement, retendu... c'est cette fragilité-là qui donne la force 135 d'aimer...

---

1. Atteint d'une névrose, psychopathologie caractérisée par un ensemble de symptômes corporels et/ou comportementaux qui résultent notamment du refoulement de pulsions sexuelles.

FREUD : Qui êtes-vous ?

L'INCONNU : J'aimerais tellement vous le dire quand je vous vois comme cela.

Il a un geste pour lui caresser les cheveux.

140 *Freud, surpris, réagit en prenant une décision. Il se lève énergiquement. On voit qu'en lui le praticien[1] renaît.*

FREUD : Vous avez besoin de moi ?

L'INCONNU *(légèrement surpris)* : Oui. Non. C'est-à-dire… j'ai été ridicule… l'optimisme m'avait brouillé la tête… en

145 vérité, il me paraît douteux…

FREUD : … que je puisse vous aider. Naturellement ! *(Jubilant par habitude.)* Ils se croient tous uniques quand la science présuppose le contraire[2]. Je vais m'occuper de vous puisque, de toute façon, cette nuit, il faut attendre. *(Il relève la*

150 *tête vers l'Inconnu.)* C'est curieux, je n'ai pas très envie de vous ménager.

L'INCONNU : Vous avez raison.

FREUD *(se frottant les mains)* : Soit. Commençons. *(On le voit ragaillardi.)* Très bien, allongez-vous là[3]. *(Il indique le sofa.*

155 *L'Inconnu s'exécute.)* Quel est votre nom ?

L'INCONNU : Sincèrement ?

---

1. Médecin qui a une expérience clinique, qui soigne régulièrement des malades. Freud n'a pas été qu'un théoricien de la psychanalyse : il recevait chaque jour de nombreux patients.
2. Reflet du rationalisme de Freud : la construction scientifique repose sur l'observation de phénomènes récurrents et duplicables qui permettent d'établir des lois. Les manifestations de l'esprit n'échappent pas à cette démarche : les pathologies de l'âme obéissent à des mécanismes universalisables.
3. Dans l'analyse traditionnelle freudienne, le patient est allongé sur un divan.

FREUD : C'est la règle. *(Patient.)* Quel est votre nom ? Le nom de votre père[1].

L'INCONNU : Je n'ai pas de père.

160   FREUD : Votre prénom.

L'INCONNU : Personne ne m'appelle[2].

FREUD *(agacé)* : Avez-vous confiance en moi ?

L'INCONNU : Parfaitement ; c'est vous qui ne me croyez pas.

FREUD : Bon, changeons de méthode. Racontez-moi un
165 rêve... votre dernier rêve.

L'INCONNU : Je ne rêve jamais.

FREUD *(diagnostiquant)* : Verrouillage de la mémoire par la censure[3] : le cas est sérieux mais classique. Racontez-moi une histoire.

170   L'INCONNU : N'importe quelle histoire ?

FREUD : N'importe quelle histoire.

L'Inconnu regarde alors fixement Freud, comme s'il sondait son âme. Il semble un instant puiser sa force dans le regard de Freud, puis se met à parler.

175   L'INCONNU : J'avais cinq ans, et à cette époque le ciel avait toujours été bleu, le soleil jaune, et les bonnes chantaient du matin au soir en laissant échapper de leurs seins entrouverts un parfum de vanille.

Et puis un jour je restai seul dans la cuisine de la maison.

---

1. Référence à la formule conclusive de la prière « Notre Père » et au psychanalyste Jacques Lacan pour lequel le « Nom du Père » représente l'intégration de la loi du père.
2. Le nom de Dieu est plus ou moins tabou dans les religions monothéistes.
3. *Cf.* note 3, p. 66.

180　C'était une vaste pièce dont tous les meubles étaient collés aux murs, agrippés, comme pour fuir l'immense espace vide où les carreaux blancs et rouges dessinaient des chemins fuyant de toutes parts. D'ordinaire, c'était mon terrain d'aventures : à quatre pattes, on pouvait courir entre les jambes des domes-185　tiques, récupérer des bouts de lard ou lécher des fonds de plats à gâteaux… Pourquoi tout le monde était-il sorti ce jour-là ? je ne sais pas, c'est une question d'adulte, je ne l'avais pas remarqué, j'étais là, assis sur les carreaux rouge brûlé et blanc perdu.

Chaque carreau révélait un monde ; il n'y a que pour les 190　adultes que les carreaux constituent platement un sol ; pour un enfant, chaque carreau a sa physionomie particulière. Celui-ci, dans le relief de ses irrégularités et la variation de ses coulées, racontait l'histoire d'un dragon qui se tenait, la gueule ouverte, au fond d'une grotte ; un autre montrait une procession de 195　pèlerins ; un autre un visage derrière une vitre tachée de boue, un autre… La cuisine était un monde immense où venaient affleurer d'autres mondes, montant d'ailleurs, par les yeux borgnes des carreaux.

Et puis soudain, j'ai appelé. Je ne sais pas pourquoi. Peut-être 200　pour m'entendre exister, et pour voir arriver quelqu'un. J'ai appelé. Il n'y eut que le silence. *(Freud semble de plus en plus frappé par ce récit.)*

Les carreaux devinrent plats. Ils se taisaient.

Le fourneau s'était endormi. La cheminée, où d'habitude 205　ronronnait toujours une casserole, semblait morte.

Freud, le regard fixé dans le souvenir, bouge les lèvres en même temps que l'Inconnu.

Et je criais.

Et ma voix montait au premier, au second, retentissait entre
210 les murs vides où il n'y avait nulle oreille pour l'entendre.

FREUD *(continuant, comme s'il connaissait le texte)* : Et ma voix montait, montait… et l'écho ne m'en revenait que pour faire mieux entendre le silence.

L'INCONNU *(poursuivant sans interruption)* : La cuisine était
215 devenue étrangère[1], une juxtaposition de choses et d'objets, un sol bien propre.

FREUD : Le monde et moi, nous étions séparés désormais. Alors j'ai pensé…

FREUD ET L'INCONNU *(l'Inconnu prononce en même temps que*
220 *lui les mots sur ses lèvres)* : "Je suis Sigmund Freud, j'ai cinq ans, j'existe ; il faudra que je me souvienne de ce moment-là."

Un temps. Freud se retourne lentement vers l'Inconnu.

L'INCONNU *(continuant sur le même ton songeur)* : Et tu as pensé aussi, mais sans le formuler cette fois-ci : "Et la maison
225 est vide quand je crie et je pleure. Personne ne m'entend. Et le monde est cette vaste maison vide où personne ne répond lorsqu'on appelle." *(Un temps.)* Je suis venu te dire que c'est faux. Il y a toujours quelqu'un qui t'entend. Et qui vient.

Freud regarde l'Inconnu avec effarement.

---

1. Référence à la notion freudienne d'« inquiétante étrangeté » *(Unheimliche)* : angoisse qui apparaît lorsque « des complexes infantiles refoulés sont ranimés par quelque pression extérieure » (Freud, *Essais de psychanalyse appliquée*). Thème également abordé par Sartre dans *La Nausée*.

230   *Puis il s'approche de lui, le touche.*
Sentant qu'il est réel, il recule.
FREUD : C'est impossible. On vous aura renseigné. Vous êtes
allé à la Gestapo, vous avez lu mes papiers.
L'INCONNU : Pourquoi ? Avez-vous déjà écrit cela ?
235   FREUD *(un temps)* : Non. Ni même raconté. *(Un temps.)*
Vous venez de l'inventer !
L'Inconnu ne répond pas.
Désarçonné quelques instants, tenant à douter, Freud trouve
une idée.
240   Ne bougez pas. *(Il attrape son pendule[1] sur la table.)* Allongez-
vous, oui, là, couchez-vous.
L'Inconnu se laisse faire.
Freud place son pendule devant le visage de l'Inconnu en l'agi-
tant lentement d'un mouvement de balancier.
245   Vous êtes fatigué, vous vous laissez aller, vous…
L'INCONNU *(amusé)* : L'hypnose, docteur ? Je croyais que
vous aviez abandonné cette méthode depuis des années.
FREUD : Lorsque le sujet est trop crispé pour accepter
l'échange, rien ne vaut mon vieux pendule. *(Continuant la*
250   *manœuvre sur un ton persuasif.)* Vos paupières se font de plus en
plus lourdes… il faut dormir… vous essayez de lever le bras
gauche mais ne le pouvez pas… vous êtes si fatigué, si las. Il
faut dormir. Dormir, il le f…

---

1. Objet assez lourd suspendu au bout d'un fil ou d'une chaîne dont le balancement régulier produit un effet hypnotique.

L'Inconnu s'est endormi.

255 *Pendant tout le temps de l'hypnose[1], une étrange musique, indéfinissable, très douce, va désormais baigner la scène d'irréalité. Le ton de l'Inconnu va devenir lui-même musical lorsqu'il répondra aux questions de Freud.*

Qui êtes-vous?

260 L'INCONNU : C'est pour ses semblables que l'on possède un nom. Moi, je suis seul de mon espèce.

FREUD : Qui sont vos parents?

L'INCONNU : Je n'ai pas de parents.

FREUD : Sont-ils morts?

265 L'INCONNU : Je suis orphelin de naissance.

FREUD : Vous n'avez aucun souvenir d'eux?

L'INCONNU : Je n'ai aucun souvenir.

FREUD : Pourquoi ne voulez-vous pas avoir de souvenirs?

L'INCONNU : Je voudrais avoir des souvenirs. Je n'ai pas de
270 souvenirs.

FREUD : Pourquoi voulez-vous oublier?

L'INCONNU : Je n'oublie jamais rien, mais je n'ai pas de souvenirs.

FREUD : Quand avez-vous connu Sigmund Freud?

275 L'INCONNU : La première fois qu'il s'est fait entendre à moi, il a dit : "Je suis Sigmund Freud, j'ai cinq ans, j'existe; il faudra que je me souvienne de ce moment-là." J'ai écouté cette petite

---

1. Technique utilisée par Freud dans le traitement de ses premiers patients hystériques, puis abandonnée au profit de la *talking cure* (travail de guérison par la parole).

voix frêle et enrhumée de larmes qui montait au milieu des cla-
meurs du monde.

280   FREUD : Mais Sigmund Freud est plus vieux que vous. Quel
âge avez-vous ?

L'INCONNU : Je n'ai pas d'âge.

FREUD : Vous ne pouviez pas entendre Sigmund Freud, vous
n'étiez pas encore né.

285   L'INCONNU : C'est vrai : je ne suis pas né.

FREUD : Où étiez-vous lorsque vous avez entendu sa voix ?

L'INCONNU : Nulle part. Ce n'est ni loin, ni près, ni même
ailleurs. C'est... inimaginable, car on n'imagine qu'avec des
images, or là, il n'y a plus rien, ni prairies, ni nuages, ni éten-
290   dues d'azur, rien... Où êtes-vous lorsque vous rêvez ?

FREUD : C'est moi qui pose les questions. Où sont les
hommes, là où vous êtes ?

L'INCONNU : En moi, mais nulle part, comme sont en eux
les songes[1].

295   FREUD : Où êtes-vous, ce soir ?

L'INCONNU : À Vienne, en Autriche, le 22 avril 1938, au
19 Berggasse, dans le bureau du docteur Freud.

FREUD : Qui est le docteur Freud ?

L'INCONNU : Un humain qui a brassé beaucoup d'hypo-
300   thèses, autant de vérités que d'erreurs, un génie en somme.

FREUD : Pourquoi lui ?

---

1. Les hommes sont les songes de Dieu (*cf.* p. 16, l. 41).

L'INCONNU : Les voyants ont les yeux crevés[1] et les prophètes[2] un cancer à la gorge. Il est très malade.

FREUD : Mourra-t-il bientôt ?

305 L'INCONNU : Bientôt.

FREUD : Quand ?

L'INCONNU : Le 23 sept[3]… *(Ouvrant subitement les yeux.)* Désolé, docteur, je ne réponds pas à ce genre de questions.

La musique a brusquement cessé.

310 FREUD *(interloqué à la fois par le réveil soudain et la réponse de l'Inconnu)* : Mais… on ne sort pas d'hypnose comme cela… vous…

L'INCONNU : Si je réponds à votre question, vous seriez capable de mourir ce jour-là, uniquement par complaisance[4].

315 Je me sentirais responsable.

Il se lève et gambade dans la pièce.

FREUD *(pour lui-même)* : Je deviens fou.

L'INCONNU : La sagesse consiste souvent à suivre sa folie plutôt que sa raison. *(Il secoue ses membres.)* C'est amusant d'avoir

320 un corps, mais qu'est-ce que l'on s'ankylose vite ! J'en avais perdu l'habitude. *(Se regardant dans la glace.)* Comment me

---

1. Référence aux devins aveugles de la mythologie grecque et notamment à Tirésias, qui reçut son don de prophétie d'Athéna le jour même où elle le rendait aveugle pour avoir osé la contempler nue. Tirésias est aussi le devin qui dévoila les crimes inconscients d'Œdipe. Il y a toujours un prix à payer pour celui qui dit ou qui affronte la vérité.
2. Littéralement, celui qui parle à la place de Dieu. Le cancer est ainsi le symptôme de l'excessive puissance de la parole qui est dite (pour la psychanalyse, on ne prend pas impunément la place du père).
3. Freud mourra à Londres, le 23 septembre 1939.
4. Derrière le caractère de plaisanterie de la formulation se trouve l'idée que l'inconscient peut manipuler le sujet à son insu.

trouvez-vous ? C'est amusant, cette figure, n'est-ce pas ? Je me suis fait la tête d'un acteur qui naîtra après votre mort.

FREUD *(spontanément)* : Vous êtes beau.

325 L'INCONNU *(sincèrement surpris, il se penche vers le miroir)* : Ah bon ? Cela n'a pourtant aucun rapport avec ce que je suis.

FREUD *(s'approchant aussi du miroir)* : Croyez-vous que je me reconnaisse, moi, dans le vieillard barbu qui m'attend dans les glaces ? Je m'y habitue mais je ne m'y retrouve pas...

330 L'INCONNU : Vous n'aimez pas votre image ?

FREUD : Parce que la bouche bouge en face de ma bouche et la main répond à ma main, je me dis : "c'est moi". Mais "moi", ce n'est ni ce front plissé, ni ces sourcils poivre et sel, ni ces lèvres chaque jour plus sèches et raides ; mon front a été lisse, 335 j'ai eu les cheveux châtains ; mais alors c'était pareil ; je... j'aurais pu ne pas être ce corps-là.

L'INCONNU : Comme c'est étrange ; vous décrivez ce que je ressens moi-même chaque fois que je m'incarne[1]. Je n'aurais jamais pensé qu'il pût en être de même pour vous, les hommes.

340 FREUD *(le regard toujours dans la glace, un temps, contemplant l'Inconnu)* : Vous m'excuserez : je ne peux pas croire que c'est vous.

L'INCONNU : Je le sais. Tu ne crois pas en moi. Le docteur Freud est un athée[2], un athée magnifique, un athée qui conver-345 tit, un catéchumène[3] de l'incroyance.

---

1. Mon esprit se glisse dans le corps d'un homme.
2. L'athée, plus radical que l'incroyant, affirme qu'aucun dieu, sous quelque forme que ce soit, n'existe.
3. Celui qui reçoit un enseignement chrétien en vue du baptême. Le professeur d'athéisme qu'est Freud aurait ainsi l'enthousiasme des nouveaux convertis.

FREUD : Pourquoi moi ? Pourquoi ne pas aller chez un curé ou un rabbin[1] ?

L'INCONNU *(léger)* : Rien de plus ennuyeux que la conversation d'un admirateur. Et puis...

350 FREUD : Et puis ?

L'INCONNU : Je ne suis pas sûr qu'un prêtre me remettrait mieux que vous. Ces gens-là se sont tellement accoutumés à parler en mon nom, agir pour moi, conseiller à ma place... j'ai l'impression de gêner.

355 *On entend des bruits de bottes et des appels dans la rue.*

FREUD : Pourquoi moi ? *(Un temps.)* Pour me convertir ?

L'INCONNU *(riant)* : Quel orgueil ! Non. C'est trop tard. Dans quelques mois, tu publieras ton *Moïse*[2]... Je ne t'ai pas converti.

360 FREUD : Je vous vois.

L'INCONNU : Tu vois un homme, et rien d'autre.

FREUD : Vous êtes apparu brusquement.

L'INCONNU : J'ai pu entrer par la fenêtre.

FREUD : Vous saviez que la Gestapo avait emmené Anna.

365 L'INCONNU : Tout l'immeuble le sait.

FREUD : Vous jouez. Comment auriez-vous pu me raconter ce que j'ai vécu lorsque j'avais cinq ans ?

L'INCONNU : Te crois-tu si unique ? Il y a des hommes qui

---

1. Chef spirituel de la religion juive.
2. Le *Moïse* de Freud (*cf.* note 4, p. 33) est une formidable machine de guerre contre Dieu, puisque, dans la ligne de *Totem et Tabou* (1913), Dieu n'y apparaît que comme la déification d'un père fondateur assassiné. (Voir à cet égard les théories de l'historien grec rationaliste Évhémère – vers -300 avant J.-C. –, pour lequel les dieux sont à l'origine des rois divinisés par leurs peuples reconnaissants.)

ont le pouvoir de raconter des histoires que chacun croit être
370 siennes : ce sont les écrivains. Peut-être ne suis-je pas Dieu,
mais seulement un bon écrivain ?... Tu n'es sans doute pas le
seul petit bonhomme à avoir, un jour, les jambes écartées sur les
carreaux de la cuisine, pris conscience qu'il existait.

FREUD *(balayant toutes ces objections par un accès de mauvaise*
375 *humeur)* : Je sais à quoi m'en tenir !

L'INCONNU *(s'approchant de manière inquiétante)* : Comme
c'est étrange, mon bon Freud, on dirait que, subitement, tu
voudrais croire... te vautrer[1] dans la certitude... *(Subitement.)*
Quel âge avais-tu quand il est mort ?

380 FREUD : Qui ?

L'INCONNU : Ton père ?

FREUD : Quarante ans[2].

L'INCONNU : Ne fais pas semblant de ne pas comprendre :
quel âge avais-tu lorsqu'il est mort dans ta tête[3] ?

385 FREUD *(n'ayant pas envie de répondre)* : C'est si loin...

L'INCONNU : Allons, tu devais avoir treize ans peut-être,
treize ans de cette vie-ci, quand tu t'es rendu compte que ton
père pouvait se tromper, que lorsqu'il se trompait, même, il
s'entêtait dans son erreur, et que ce que tu avais cru être l'au-
390 torité du juste n'était que la mauvaise foi de l'ignorant. Et tu
as constaté qu'il avait des faiblesses, qu'il pouvait être timide,

---

1. Prendre plaisir à te rouler dans la certitude (comme une bête dans la boue).
2. Détail exact : Freud est né en 1856, son père est mort en 1896. L'année suivante, en 1897, Freud découvrait le fameux complexe d'Œdipe.
3. Lorsque tu as accepté de « tuer le père » de manière symbolique : c'est la liquidation du complexe d'Œdipe qui est au cœur de la pensée freudienne.

redouter des démarches, craindre ses voisins, sa femme… Et tu t'es rendu compte que ses principes n'étaient peut-être pas "les" principes, éternels comme le soleil derrière les nuages,
395 mais simplement les siens, comme ses vieilles pantoufles, des principes parmi d'autres, de simples phrases qu'il s'acharnait à répéter, comme si leur rabâchage pouvait leur conférer la fermeté du vrai. Et tu t'es rendu compte qu'il prenait de l'âge, que ses bras devenaient flasques, sa peau brune, que son dos
400 s'arrondissait, et que sa pensée elle-même avançait à tâtons. Bref, il y eut un jour où tu as su que ton père n'était qu'un homme[1].

FREUD : J'ai grandi ce jour-là.

L'INCONNU : Vraiment? C'est ce jour-là que, plus enfant
405 qu'enfant, tu t'es tourné vers Dieu. Tu as voulu croire, Freud, par dépit amoureux[2]. Tu as voulu remplacer ton père naturel par un père surnaturel. Tu l'as mis dans les nuages.

FREUD : Mais…

L'INCONNU : Ne dis pas le contraire, c'est ce que tu as
410 raconté toi-même dans tous tes livres. Puisque le père terrestre était mort, tu l'as projeté au ciel. C'est l'origine de l'idée de Dieu selon toi : l'homme fabrique Dieu parce qu'il a trop envie

---

1. Curieusement, l'Inconnu parle le langage freudien. L'image du père subit le même désinvestissement que celle de Dieu : le rationaliste, déniaisé, ne reconnaît plus ce dernier comme un être tout-puissant, mais comme une construction de l'esprit humain projetée hors de lui et objectivée.
2. Interprétation classique et vulgarisante selon laquelle l'individu transfère son désir frustré d'un père idéal en le déplaçant sur l'entité divine. L'invention d'un dieu-père par l'humanité résulte en revanche d'une construction élaborée par le sentiment de culpabilité à la suite du meurtre réel d'un père chef de horde pour lequel les sentiments étaient ambivalents : haine jalouse et vénération (théorie développée dans *Totem et Tabou* et *L'Homme Moïse et la Religion monothéiste*).

d'y croire. Une invention des hommes. Le besoin crée l'objet[1].

(Fort.) Je ne serais donc qu'une satisfaction hallucinatoire[2] ? !

415 *(Criant.)* N'est-ce pas ?

FREUD *(faiblement)* : C'est cela.

L'INCONNU : Alors, si tu as raison, Freud, tu rêves debout en ce moment. Rien d'autre. Je ne suis qu'un fantasme[3] !

On entend une cavalcade dans l'immeuble, des soldats qui
420 *crient.*

Car ce soir, parce que tu es vieux, parce qu'ils ont pris ta fille, parce qu'ils te chassent, te revoilà tout petit et tu aurais besoin d'un père. Alors le premier inconnu qui pénètre chez toi de manière un peu incompréhensible et qui parle bien l'obscur[4], il
425 fait l'affaire, tu oublies tout ce que tu dénonces et tu crois.

Les bruits se rapprochent.

FREUD : Jamais un homme ne m'aurait dit ce que vous avez dit tout à l'heure, sous hypnose.

À ce moment-là, on frappe fermement à la porte.

430 *Stupidement, Freud regarde l'Inconnu avec effroi, comme pour lui demander ce qui se passe.*

L'INCONNU *(chuchotant)* : Eh bien, répondez.

L'Inconnu se précipite derrière le rideau. Au même moment paraît le Nazi.

---

1. Pastiche de Darwin (« La fonction crée l'organe ») dont Freud s'est inspiré ; le besoin d'une figure paternelle idéale crée l'objet correspondant à ce désir : Dieu.
2. Satisfaction illusoire d'un désir par le biais de l'imagination (*cf.* note ci-dessous).
3. Rêve éveillé qui produit une satisfaction imaginaire.
4. Étant donné la teneur très freudienne des propos de l'Inconnu, « parler l'obscur » évoque davantage une satire du langage abscons de la psychanalyse que l'évocation d'une parole sacrée.

SCÈNE 5
FREUD, LE NAZI, L'INCONNU CACHÉ.

Le Nazi entre en regardant autour de lui, suspicieux.

LE NAZI : Ça ne répond pas vite. *(Il fait signe aux autres soldats dans l'antichambre.)* Continuez sans moi.

FREUD : Où est ma fille ?

5 LE NAZI *(inspectant la pièce)* : À la Gestapo.

FREUD : Vous ne la ramenez pas ?

LE NAZI : On verra. Pour l'instant, ils s'amusent un peu avec elle. Elle est très attachante. *(Brusquement.)* Vous étiez seul ?

FREUD *(gêné)* : Naturellement. Vous voyez bien.

10 LE NAZI *(passant devant le bureau)* : Ah, mais je vois que l'on a signé son papier... *(Il ramasse la feuille et la met dans sa poche.)* C'est bien, au fond vous êtes très sage.

FREUD : Et ma fille ?

LE NAZI *(continuant à fouiller distraitement la pièce, comme s'il* 15 *cherchait quelqu'un)* : Soyez patient, on vous la rendra sûrement si vous partez... on ne va pas rater l'occasion de se débarrasser de quelques juifs[1].

FREUD : Vous me la rendrez... intacte[2] ?

LE NAZI *(rire gras)* : Pourquoi ? Vous espérez toujours la marier[3] ?

---

1. Les nazis ont encouragé l'émigration juive dans la mesure où les juifs abandonnaient tous leurs biens au régime nazi. Freud ne dut la restitution d'une partie de ses biens qu'à l'influence de ses protecteurs étrangers.
2. L'adjectif a un double sens : à la fois sans blessure et vierge.
3. Anna a alors quarante-trois ans.

20　*(Il se plante devant la bibliothèque et cesse de rire.)* C'est curieux, moi, les juifs, je les renifle sans les voir, j'ai comme un flair.

FREUD : Vraiment ? Et vous m'avez reniflé, moi ?

LE NAZI *(riant)* : Ah ça !

FREUD : Et qu'est-ce que je sens ?

25　LE NAZI *(simplement)* : Ce n'est pas vous qui avez une odeur, c'est moi quand vous êtes là.

FREUD : Et qu'est-ce que vous sentez ?

LE NAZI : La merde.

FREUD *(très choqué)* : Pardon ?

30　LE NAZI : C'est simple, ça m'a toujours fait ça. Quand je me trouve moche, minable, quand je me dis que je n'ai pas d'argent et que ça ne s'arrangera pas demain, quand je me dis qu'aucune femme ne voudra plus de moi, il suffit que je me retourne, ça ne rate jamais : il y a un juif qui me regarde. Le juif me rend

35　merdeux. C'est à cause de lui, toujours[1]. Tiens, là, en ce moment, quand je suis chez vous, et que je vois tous ces meubles, ces tableaux, ces tentures, ce bureau, tous ces livres, moi qui n'en ai pas lus, j'ai des boules dans la gorge : je sais que je suis chez un juif.

40　FREUD : C'est étrange : moi, lorsque je me trouve médiocre, je ne m'en prends qu'à moi-même.

LE NAZI : Normal, vous êtes juif. *(Insistant.)* C'est comme un flair, je vous dis, j'ai du nez.

---

1. **C'est une constante de l'antisémitisme de faire du peuple juif un bouc émissaire.**

Sans transition, le Nazi sort un papier de sa poche. C'est la rai-
45 *son de sa visite.*

LE NAZI : Qu'est-ce que c'est, ça ?

Freud ne répond pas. Il est visiblement gêné par la vue du docu-
ment.

C'est curieux que vous ne sautiez pas de joie… Pourtant
50 vous devriez être inquiet de l'avoir perdu ?… Et puis c'est utile,
un testament… surtout à votre âge… et par les temps qui cou-
rent…

FREUD : Où voulez-vous en venir ?

LE NAZI : Là où je suis. Je vois sur votre testament que vous
55 avez des comptes en banque à l'étranger. Ce n'est pas bien, ça,
vous ne nous l'aviez pas dit…

FREUD *(faiblement)* : Vous me l'avez demandé ?

LE NAZI : C'est antinational de se mettre des sous à gauche…
Vous volez l'État… Alors, vous ne voudriez pas nous rapatrier
60 tout ça ? Et vite ?

FREUD : Cet argent est pour mes enfants…

LE NAZI : Et vous avez bien raison ! Peut-être que, justement,
votre fille en aurait besoin, de cet argent, là où elle est… peut-
être que cela pourrait adoucir l'interrogatoire… qui sait ? *(Per-*
65 *vers.)* Je suis le seul à connaître ce papier. Ça ne serait pas bon
que je retourne là-bas, à la Gestapo, en leur montrant ce vilain
papier, non, ça ne serait pas bon, ça ferait mauvais effet. Pour
vous. Pour elle.

FREUD *(battant en retraite)* : Que voulez-vous que je fasse ?

70   LE NAZI : Eh bien, d'abord vous réfléchissez... Il paraît que vous faites ça très bien, professeur... *(Montrant le testament d'une main et la reconnaissance signée par Freud de l'autre.)* Parce que, franchement, j'ai peur que ce papier n'annule l'autre, voyez-vous ?

75   *Il retourne vers la porte et crie aux soldats qui sont dans le couloir :*

Il n'y a personne ici, on peut laisser tomber. Étage suivant.

FREUD *(spontanément)* : Qu'est-ce qui se passe ? Vous cherchez quelqu'un ?

80   LE NAZI : Vous n'avez vu personne ? Alors !... *(Il s'arrête sur le pas de la porte.)* Réfléchissez, et voyez ce que vous pouvez faire. À mon avis, c'est une histoire qui devrait rester entre vous et moi... vous voyez ce que je veux dire ? *(Avec un grand sourire.)* Je repasserai...

85   *Il sort.*

SCÈNE 6
FREUD, L'INCONNU.

*L'Inconnu sort des rideaux. Il a les yeux perdus dans le lointain,
comme s'il avait une vision.*

L'INCONNU : Cet homme ment.

FREUD *(toujours dans son trouble)* : Il a malheureusement rai-
5 son : j'ai des comptes à l'étranger.

L'INCONNU : Il ment au sujet d'Anna. On ne l'interroge pas.

FREUD *(immédiatement inquiet)* : Anna ! Que lui fait-on ?

L'INCONNU *(précisant sa vision)* : Elle est à la Gestapo, hôtel
Métropole. Elle est dans un couloir, elle attend.

10 FREUD : C'est bien.

L'INCONNU : Non, ce n'est pas bien. Elle sait que si elle reste
dans le couloir sans être interrogée, elle risque d'être ramassée,
ce soir, avec tous les autres juifs, et d'être déportée dans un
camp... ou fusillée.

15 *Freud a un cri de bête et se précipite sur l'Inconnu, l'attrapant
par le col.*

FREUD : Faites quelque chose !

L'INCONNU : Il faut qu'elle soit interrogée.

FREUD : Intervenez ! Vite !

20 *L'Inconnu le repousse calmement, continuant à décrire ce qu'il
voit.*

L'INCONNU : Elle tâte quelque chose qu'elle a dans sa poche,
je ne vois pas très bien... une fiole...

Freud se laisse brusquement tomber sur un siège.

25   FREUD *(atone)* : Je sais ce que c'est. Du véronal[1]. Elle en a demandé à Schur, mon médecin. Elle voulait que nous nous suicidions.

L'INCONNU *(un instant distrait de sa vision)* : Elle vous l'a proposé ?

30   FREUD : Oui.

L'INCONNU *(idem)* : Et qu'avez-vous répondu ?

FREUD : Que c'était là ce que les nazis voulaient, donc que nous ne le ferions pas.

L'INCONNU *(reprenant sa vision)* : Pour l'instant, elle se 35 contente de serrer le flacon dans sa main, il la rassure. Maintenant, elle approche son avant-bras de sa bouche et...

Il éclate de rire.

FREUD : Que fait-elle ?

L'INCONNU *(riant toujours)* : Elle se mord le bras jusqu'au 40 sang... ça y est... elle saigne !

FREUD *(fou d'inquiétude)* : Mais qu'est-ce qu'il lui prend ? !

L'Inconnu brusquement se détache de sa vision, comme s'il éteignait un appareil quelconque.

L'INCONNU : Tout va bien, les choses suivent leur cours.

45   FREUD : Mais non ! Dites la suite !

L'INCONNU *(très vite)* : Les nazis ont accouru. Ils sont prêts à tuer des milliers d'êtres humains mais ils soigneront toujours une femme qui saigne d'une blessure bénigne[2]. Elle a réussi :

---

1. Somnifère puissant.
2. Hitler lui-même était végétarien et ne supportait pas qu'on maltraitât un animal !

elle a attiré l'attention sur elle, ils vont l'interroger. Ne te fais
50 pas de soucis : tu as une fille intelligente, mon Freud…

Freud a été trop secoué par cette évocation.

FREUD : Je… je… je suppose que je dois vous croire.

*L'Inconnu fait un signe de tête affirmatif. Il s'approche de Freud
en souriant, lui prend les mains, les serre, et le calme.*

55 *Mais démentant sa bonté, il ajoute avec un petit sourire :*

L'INCONNU : Cinq cents suicides depuis un mois à Vienne.
Des juifs, essentiellement.

FREUD : Comment le savez-vous ?

L'INCONNU : Je lis les journaux. Les autorités nazies, pour
60 démentir, ont publié une notule[1] corrective disant que la rumeur
exagérait et qu'il n'y avait eu que quatre cent quatre-vingt-sept
morts volontaires[2]. Ces gens-là ont le sens de l'exactitude.

*On entend de nouveau les pas des nazis dans le vestibule et le
Nazi en train de hurler des ordres.*

65 FREUD *(effrayé)* : Le revoilà ! Que vais-je lui dire ? Si j'ac-
cepte, nous n'aurons plus rien !

L'INCONNU : Retourne la situation.

FREUD : Comment ?

L'Inconnu prend une photo sur le bureau et la tend à Freud.

70 L'INCONNU : Tiens, sers-toi de ça.

FREUD : Cette photo ? Mais pour quoi faire ? Que voulez-
vous que je lui dise ? Restez avec moi !

---

1. Petite annotation ajoutée à un texte.
2. L'euphémisme évoque la censure nazie.

L'INCONNU : Allons, mon Freud, pas d'enfantillage. Tu devrais avoir confiance maintenant.

75　　FREUD : Restez avec moi ! Parlez-lui !

L'INCONNU : Ridicule ! De toute façon, il ne peut pas me voir. Je ne suis visible que pour toi, ce soir.

SCÈNE 7

FREUD, LE NAZI, L'INCONNU CACHÉ.

Le Nazi est entré. L'Inconnu a sauté derrière les rideaux. Freud
tient encore bêtement la photographie que lui a remise l'Inconnu.

LE NAZI : Alors, professeur Freud, vous avez réfléchi ?

Freud, en face du Nazi, retrouve immédiatement sa superbe,
5   *quoiqu'il ne sache toujours pas quoi faire.*

FREUD : J'ai réfléchi, effectivement.

Il cherche à gagner du temps en faisant les cent pas.

(Pensif, en fixant le Nazi.) Oui, je songeais… *(Il cherche de*
toutes ses forces.) J'ai retrouvé par hasard cette photographie de

10 mon oncle Simon *(Il lui met sous les yeux.)* et je me disais…

LE NAZI *(sans regarder)* : Pas de détour. Comment me ferez-
vous passer l'argent ?

FREUD *(trouvant sa tactique)* : J'y viens, j'y viens… J'ai donc
retrouvé ce portrait de mon oncle Simon et, en la regardant, je

15 repensais à ce que vous me disiez lorsque vous m'affirmiez avoir
un nez pour reconnaître les juifs[1]. Un nez, c'est bien cela ? Eh
bien, c'est étrange, parce que… je me disais… ah non !… je
dois me tromper…

LE NAZI : Quoi ?

20 FREUD : Non, je pensais… ce nez[2]…

LE NAZI *(inquiet)* : Pardon ?

---

1. La propagande antisémite nazie affichait dans les rues des placards où l'on apprenait à reconnaître un juif… à son nez. Freud renvoie le compliment.
2. La répétition du mot crée un effet comique qui n'est pas sans évoquer l'esprit d'un Cyrano de
Bergerac.

FREUD : Votre nez. Il rappelle trait pour trait, narine pour narine, celui de mon oncle Simon, qui était rabbin. *(Le Nazi, d'instinct, met la main devant son nez.)* Notez que je ne suis pas
25 très fort au jeu des ressemblances, mais là, vraiment... c'est plus qu'un air de famille... c'est... Notez que moi, finalement, j'ai le nez beaucoup plus droit, moins busqué[1] que vous... Mais c'est moi qui suis juif! Notez, par ailleurs, qu'on ne m'a jamais vu à la synagogue[2]... Mais c'est moi qui suis juif! Notez aussi
30 que je n'ai jamais rien fait pour de l'argent... Mais c'est moi qui suis juif! Mais c'est étrange, tout de même... on ne vous a jamais parlé de votre nez?

LE NAZI *(reculant)* : Je dois partir.

FREUD : Auriez-vous dans vos parents...

35 LE NAZI : Je dois partir.

FREUD : Oui, vous avez raison de chasser le juif. Il faut choisir son camp! Et les exterminer! Tous! Car ce qui rend les juifs dangereux, c'est qu'on n'est jamais sûr de ne pas en être un[3]! *(Enchaînant.)* Vous vouliez que l'on parle des fonds que j'ai pla-
40 cés à l'étranger?

LE NAZI *(comprenant le chantage)* : C'est inutile.

FREUD : Allons donc voir vos supérieurs, je me ferais un plaisir de parler avec eux... de cet argent... du fait que vous ne leur

---

1. Courbé en forme de bec d'aigle.
2. Lieu de culte de la religion juive. Freud était athée et non pratiquant.
3. Freud se moque de l'idée qu'on puisse reconnaître un juif à des traits clairement définis. À noter que certains historiens ont émis l'hypothèse qu'un des ancêtres paternels d'Hitler, un Hidler, était d'origine juive!

avez pas signalé mon testament… de mes petites hypothèses
45 d'amateur sur les proximités physiques… nous causerons…

LE NAZI : C'est inutile. Je… je n'ai jamais eu connaissance de
votre testament…

FREUD : Et ma fille ? Revient-elle bientôt ?

LE NAZI *(comprenant le chantage)* : Bientôt.

50 FREUD *(avec un sourire ironiquement humble)* : Très bientôt ?

LE NAZI : C'est possible. Et vous partirez bientôt ?

FREUD *(même sourire)* : Très bientôt.

LE NAZI : Bonsoir.

FREUD : Bonsoir. *(Au moment où le Nazi se retourne.)* Ah,
55 monsieur le Gestapiste, j'ai trouvé ce que j'ai de juif et que vous
n'avez pas… : dans quelques jours, nous serons sur les routes de
l'exode[1], ma femme, mes enfants et moi, avec nos valises et nos
baluchons[2] ; nous aurons été chassés ; ce doit être cela, un juif.

LE NAZI *(fermé)* : Bonsoir.

60 *Le Nazi sort et Freud ne peut s'empêcher de se frotter les mains*
de joie : c'est une victoire. Et il se dirige vers le rideau où se trouve
caché l'Inconnu, pour la célébrer avec lui.

Mais le Nazi réapparaît sur le pas de la porte, se rappelant,
malgré son trouble, pourquoi il est venu chez Freud.

65 Au fait, vous n'avez vu personne ?

---

1. Le terme vient du livre biblique de l'Exode qui raconte la fuite des Hébreux hors d'Égypte. Freud écrivit à son fils, le 28 avril 1938 : « Espérons qu'un Exode d'Égypte ne s'ensuivra pas comme jadis. Il est temps qu'Ahasvérus [le Juif errant] trouve quelque part le repos. »
2. Paquets faits d'un tissu noué en forme de sac, contenant des effets personnels ; l'expression « faire son baluchon » signifie, familièrement, partir à la hâte en emportant le strict nécessaire.

FREUD *(surpris mais niant par réflexe)* : Personne.

LE NAZI *(satisfait)* : Très bien.

FREUD : Qu'aurais-je dû voir ?

LE NAZI *(se retirant)* : Inutile puisque vous n'avez rien vu.

70 FREUD *(se précipitant vers le Nazi un peu trop prestement)* : Mais que se passe-t-il ? Qu'aurais-je dû voir ?

LE NAZI : Rien, docteur. Il s'agit simplement de cet homme qui s'est échappé. Il est rentré dans un des immeubles de la Berggasse. Nous le cherchons depuis une heure.

75 FREUD *(rapidement, avec angoisse)* : Il n'est pas ici.

LE NAZI : Je vous crois. Bonsoir.

Il va de nouveau pour partir.

FREUD : Mais d'où s'est-il échappé ? De prison ?

LE NAZI : De l'asile. C'est un fou. Certains prétendent l'avoir 80 vu s'approcher de votre immeuble. Alors nous visitons tous les étages.

FREUD : Quel type de fou est-il ? Un hystérique ? Un angoissé ? Un obsédé[1] ?

LE NAZI *(avec une assurance professionnelle)* : Un cinglé. *(Un* 85 *temps.)* Mais il n'est pas dangereux ; je crois que c'est un de ces types qui se racontent des histoires, vous savez, le genre qui se prend pour Goethe[2] ou pour Napoléon…

---

1. Ces trois termes renvoient aux trois principales névroses répertoriées par Freud : la névrose hystérique, la névrose phobique ou hystérie d'angoisse et la névrose obsessionnelle.
2. Célèbre écrivain allemand de la fin du XVIIIe siècle, auquel on doit notamment un remarquable *Faust*, dans lequel le héros éponyme reçoit de Méphistophélès des années de vie supplémentaires en échange de son âme.

FREUD *(avec angoisse)* : Un mythomane[1] !

LE NAZI : Bonsoir, docteur, et fermez bien votre fenêtre et
90 vos portes, au cas où...

Il sort.

---

1. Personne ayant un comportement pathologique qui se caractérise par une propension à mentir et à fabuler.

SCÈNE 8
FREUD, L'INCONNU.

Freud, effondré, trop déçu d'avoir perdu sa neuve croyance, ne bouge plus.
L'Inconnu se dégage lentement des doubles rideaux et va fermer la fenêtre.
5   *Puis il se retourne et regarde Freud.*
L'INCONNU : Walter Oberseit.
FREUD *(atone)* : Pardon ?
L'INCONNU : Walter Oberseit. C'est le nom de l'homme qu'on cherche.
10   FREUD : C'est-à-dire le vôtre.
L'Inconnu ne dément pas. Un temps.
L'INCONNU : Walter Oberseit. Un pauvre homme que l'on a élevé enfermé dans une cave durant ses douze premières années. Lorsqu'on l'a délivré, il n'avait jamais vu le jour ni entendu une
15   voix, il ne connaissait que les ténèbres. Il est resté prostré pendant des mois : on a dit qu'il était imbécile. Puis, lorsqu'on l'a amené à la parole, il s'est mis à inventer des histoires, des récits où il se mettait en scène, comme pour rattraper toute cette vie perdue : on a dit alors qu'il était mythomane. *(Freud souffre tel-*
20   *lement qu'il voudrait ne plus entendre.)* Personne n'avait rêvé sa vie pour lui. Personne ne se pencha sur son berceau en lui prêtant le succès, le brillant ou les plus belles amours. Les fous sont toujours des enfants que personne n'a rêvés. *(Un temps.)* Je me sens très proche de lui.

25 FREUD *(paisiblement)* : C'est étrange, vous m'avez roulé, je ne vous en veux même pas.

Freud s'approche de la fenêtre et l'ouvre.

Au contraire, même, je me sens comme débarrassé d'une douleur, comme si l'on m'avait enlevé une épine...

30 L'INCONNU : C'était le doute.

FREUD *(devant la fenêtre ouverte)* : Le monde a mal, ce soir. *(On entend au loin les couplets des soldats nazis.)* Il retentit des chants de la haine ; on me prend ma fille ; et un malheureux entre chez moi que, pour la première fois, je ne veux pas soi-

35 gner...

Il se retourne vers l'Inconnu.

Car je ne vous soignerai pas. Ni ce soir, ni demain. Je ne crois plus à la psychanalyse. Plus dans ce monde-ci... *(Pour lui-même.)* Faut-il sauver un canari lorsque toute la ville brûle ?

40 Comment croirais-je encore à une cure[1] ? N'est-il pas ridicule de soigner un homme lorsque le monde entier devient fou ?... *(Sans se retourner vers l'Inconnu.)* Est-il vrai que personne ne vous a aimé ?

L'INCONNU *(subitement ému)* : Aimé vraiment ? Je ne sais

45 pas.

FREUD *(sans se retourner)* : Sans amour, il n'y a que solitude. *(L'Inconnu, trop ému, ne peut même pas répondre.)* Si je n'aimais pas Anna, Martha[2], mes fils, aurais-je pu continuer à vivre ?

---

1. Ensemble du traitement psychanalytique, constitué de séances ayant lieu à intervalles réguliers.
2. Martha Bernays-Freud, épouse de Sigmund Freud. Le couple Freud eut six enfants : Mathilde, Martin, Oliver, Ernst, Sophie (morte en 1920) et Anna, la dernière-née.

L'INCONNU : Mais dans ce que vous appelez votre amour, il
50 y a le leur, celui qu'ils vous donnent en retour...

FREUD : C'est vrai.

L'INCONNU : ... tandis que lorsque vous êtes seul à aimer,
tout à fait seul...

FREUD *(se retourne et prend maladroitement la main de l'In-*
55 *connu)* : Je ne vous en veux pas de m'avoir menti. Mais ce soir,
je ne peux qu'attendre ma petite Anna, rien d'autre. Venez me
voir demain. Nous... nous parlerons. Je... je ne saurai peut-
être pas vous... aimer... mais je vous soignerai, ce qui est une
autre manière d'aimer... *(Prenant sa décision.)* Je m'occuperai
60 de vous.

L'Inconnu garde la main de Freud dans les siennes et Freud,
quoique très pudibond[1], ne se sent pas la force de lui refuser cela.

Voyez, ici, il n'y a que nous, deux hommes, et la souffrance... c'est pour cela que Dieu n'existe pas... Le ciel est un
65 toit vide sur la souffrance des hommes...

L'INCONNU : Vous le pensez ? Vraiment ?

FREUD : La raison a fait fuir les fantômes[2]... Il n'y aura plus
de saints[3] désormais, seulement des médecins. C'est l'homme
qui a la charge de l'homme. *(Un temps.)* Je vous soignerai.

70 L'INCONNU *(sur le ton de la confidence)* : Dites-moi, tout à
l'heure, vous avez réellement cru que j'étais... *(Montrant le*
ciel.)... Lui ?

---

1. Exagérément pudique.
2. Dans le sens étymologique d'images vaines, d'illusions.
3. Allusion, révélatrice du rationalisme freudien, aux saints protecteurs et guérisseurs du christia-
nisme auxquels les médecins suppléent heureusement.

FREUD *(honteux)* : J'ai perdu pied.

L'INCONNU *(amusé)* : Mais c'est fini ? *(Signe affirmatif de*
75 *Freud.)* Au fond, vous croyez plus facilement en Walter
Oberseit qu'en Dieu ?

FREUD : Vous savez, monsieur Oberseit, je suis un vieillard.
J'ai passé toute ma vie à défendre l'intelligence contre la bêtise,
à soigner, à me battre pour les hommes contre les hommes, sans
80 trêve, sans respiration, et à quoi cela me donne-t-il droit ? Certains jours, ma gorge pue tellement que même Toby[1], mon
chien, ne m'approche plus et me regarde, malheureux, du fond
de la pièce... J'aurais souhaité une mort sèche, brève : j'ai droit
à l'agonie. Alors mille fois j'aurais pu murmurer le nom de
85 Dieu, mille fois j'aurais voulu boire le miel de sa consolation,
mille fois j'aurais souhaité que la croyance en un Dieu me don-
nât du courage pour souffrir et entrer dans la mort. J'ai toujours résisté. C'était trop simple. Tout à l'heure, j'ai failli céder,
parce que c'était la peur qui pensait à ma place.

90 L'INCONNU : Il fallait céder.

FREUD : Je prends assez de drogues, je ne veux pas de celle-
ci[2].

L'INCONNU : Pourquoi pas celle-ci ?

FREUD : Parce que c'est l'esprit qu'elle anesthésie.

95 L'INCONNU : Mais si votre esprit en a besoin...

FREUD : C'est la bête en moi qui veut croire, pas l'esprit ;

---

1. D'après Topsy, nom d'un chow-chow que Freud adorait. Le détail de la puanteur du foyer cancé-
reux éloignant l'animal est attesté par les biographes.
2. La religion est pour Freud une drogue ; Schmitt évoque sans doute un autre matérialiste, Marx,
qui l'appelait « l'opium du peuple ».

c'est le corps qui ne veut plus tremper ses draps d'angoisse ;
c'est un désir de bête traquée, c'est le regard du chevreuil acculé
au rocher par la meute et qui cherche encore une issue... Dieu,
100 c'est un cri, c'est une révolte de la carcasse[1] !

L'INCONNU : Alors vous ne voulez pas croire parce que cela
vous ferait du bien !?

FREUD (*violent*) : Je ne crois pas en Dieu parce que tout en
moi est disposé à croire ! Je ne crois pas en Dieu parce que je
105 voudrais y croire ! Je ne crois pas en Dieu parce que je serais
trop heureux d'y croire !

L'INCONNU (*toujours un peu badin*) : Mais enfin, docteur
Freud, si cette envie est là, pourquoi la refouler[2] ? Pourquoi
vous censurer[3] ? Si je me rapporte à vos travaux...

110 FREUD : C'est un désir dangereux !

L'INCONNU : Dangereux pour quoi ? Pour qui ?

FREUD : Pour la vérité... Je ne peux me laisser bluffer[4] par
une illusion.

L'INCONNU : La vérité est une maîtresse bien sévère.

115 FREUD : Et exigeante...

L'INCONNU : Et insatisfaisante !

FREUD : Le contentement n'est pas l'indice du vrai.
(*Expliquant, les yeux perdus dans son récit.*) L'homme est dans un

---

1. Référence au Livre de Job (7,15) : « La mort plutôt que ma carcasse ! »
2. Vocabulaire de la psychanalyse. Le refoulement est un processus qui interdit à une pulsion de se manifester à la conscience.
3. La censure est la mise en œuvre du refoulement, qui opère en travestissant les désirs refoulés de manière à les rendre méconnaissables.
4. Tenter de tromper quelqu'un en faisant illusion.

souterrain, monsieur Oberseit. Pour toute lumière, il n'a que la
120 torche qu'il s'est faite avec des lambeaux de tissu, un peu
d'huile. Il sait que la flamme ne durera pas toujours. Le croyant
avance en pensant qu'il y a une porte au bout du tunnel, qui
s'ouvrira sur la lumière… L'athée sait qu'il n'y a pas de porte,
qu'il n'y a d'autre lumière que celle-là même que son industrie
125 a allumée, qu'il n'y a d'autre fin au tunnel que sa propre fin, à
lui… Alors, nécessairement, ça lui fait plus mal quand il se
cogne au mur… ça lui fait plus vide quand il perd un enfant…
ça lui est plus dur de se comporter proprement… mais il le fait !
Il trouve la nuit terrible, impitoyable… mais il avance. Et la
130 douleur devient plus douloureuse, la peur plus peureuse[1], la
mort définitive… et la vie n'apparaît plus que comme une
maladie mortelle[2]…

L'INCONNU : Votre athée n'est qu'un homme désespéré.

FREUD : Je sais l'autre nom du désespoir : le courage. L'athée
135 n'a plus d'illusions, il les a toutes troquées contre le courage.

L'INCONNU : Qu'est-ce qu'il gagne[3] ?

FREUD : La dignité.

Un temps.

L'Inconnu s'approche de Freud. Il semble doux, sincère.

140 L'INCONNU : Tu es trop amoureux de ton courage.

---

1. Adjectif utilisé pour l'effet sonore et non pour le sens ; en effet, si la peur est peureuse, elle s'en-
fuit !
2. Référence à l'écrivain français Chamfort (1741-1794) : « Vivre est une maladie, dont le sommeil
nous soulage toutes les seize heures ; c'est un palliatif : la mort est le remède. »
3. Référence au pari pascalien : l'homme a tout à gagner à parier que Dieu existe car, sans Dieu, il
est de toute façon misérable.

FREUD : Ne me tutoyez pas.

Un temps.

L'INCONNU : Vous m'en voulez ?

FREUD : J'ai trop mal à tout ce qu'il y a de sensible en moi
145 pour éprouver de la haine.

L'Inconnu lui saisit de nouveau les mains.

L'INCONNU : Merci. *(Un temps.)* Vous m'en voulez de ne
venir que maintenant. Mais si je m'étais montré plus tôt à vous,
cela n'aurait rien changé. Vous auriez eu la même vie, Freud,
150 digne, belle, généreuse…

FREUD *(lassé)* : Walter Oberseit, cessez de vous prendre pour
Dieu. Ce qu'il y a d'intact en vous sait très bien que c'est faux.

Il dégage ses mains.

L'INCONNU *(récapitulant avec un sourire)* : Ainsi vous ne
155 croyez pas en Dieu, mais en Walter Oberseit. *(Avec une révé-
rence.)* Très flatté pour lui. *(Avec amusement.)* Mais qui vous
prouve que Walter Oberseit existe[1] ?

FREUD *(sans sourire)* : Je suis fatigué.

L'INCONNU : Non, vous n'êtes pas fatigué, vous pensez
160 continuellement à Anna. Ce serait attendrissant si ce n'était un
peu vexant…

FREUD *(avec un mouvement de colère)* : De toute façon, il
vaut mieux pour vous, ce soir, que vous soyez qui vous êtes…
un imposteur… parce que si vous aviez été Dieu…

---

1. Question philosophique déjà posée par Descartes, à laquelle le solipsisme donne une réponse
radicale : le monde extérieur n'a pas de réalité propre, seul le sujet en a une (*cf.* É.-E. Schmitt, *La
Secte des égoïstes*). L'existence des hommes est aussi difficile à prouver que l'existence de Dieu !

165   L'INCONNU *(très intéressé)* : Oui ?

FREUD *(se levant)* : Et si vous aviez été Dieu, vous… auriez choisi un bien vilain soir… oui, si Dieu existait… et se trouvait là, devant moi !…

L'INCONNU : Si Dieu existait ?

170   FREUD : Pour vous, je n'ai pas de colère, oh non… Mais pour Dieu, s'il sortait de ce néant où je l'ai rangé, je…

L'INCONNU : Si vous aviez Dieu en face de vous ?

FREUD : Si Dieu se montrait en face de moi, je lui demanderais des comptes. Je lui demanderais…

175   *La colère montant, il se lève brusquement.*

L'INCONNU *(l'encourageant)* : Vous lui demanderiez ?

FREUD : Je lui dirais… *(La véhémence le gagne.)* Que Dieu mette donc le nez à la fenêtre ! Dieu sait-il que le mal court les rues en bottes de cuir et talons ferrés, à Berlin[1], à Vienne, et

180   bientôt dans toute l'Europe ? Dieu sait-il que la haine a désormais son parti où toutes les haines sont représentées : la haine du juif, la haine du Tzigane, la haine de l'efféminé[2], la haine de l'opposant ?

L'INCONNU *(pour lui-même)* : Peut-il l'ignorer ?

185   FREUD : Mais il n'était même pas nécessaire que le mal devînt spectaculaire, qu'il prît les armes et se teignît de sang, je l'ai toujours vu partout, le mal, depuis ce jour où, les jambes écartées sur les carreaux de la cuisine, j'appelai dans un monde

---

1. Capitale de l'Allemagne nazie.
2. Outre les prisonniers politiques et les juifs, les nazis incarcérèrent dans les camps de concentration les Tziganes, les homosexuels et les témoins de Jéhovah.

où personne ne répondait. *(S'approchant de l'Inconnu.)* Si je
190 l'avais en face de moi, Dieu, c'est de cela que je l'accuserais : de
fausse promesse !

L'INCONNU : De fausse promesse ?

FREUD : Le mal, c'est la promesse qu'on ne tient pas. *(Il
pense tout haut.)* Qu'est-ce que la mort, sinon la promesse de la
195 vie qui court, là, dans mon sang, sous ma peau, et qui n'est pas
tenue ? Car lorsque je me tâte, ou lorsque je me livre à cette
ivresse mentale, le pur bonheur d'exister, je ne me sens pas
mortel : la mort n'est nulle part, ni dans mon ventre, ni dans
ma tête, je ne la sens pas, la mort, je la sais, d'un savoir appris,
200 par ouï-dire. L'aurais-je su, que je périrai, si on ne m'en avait
pas parlé ? Ça frappe par-derrière, la mort. De moi-même,
j'étais parti pour un tout autre chemin, je me croyais immortel.
Le mal, dans la mort, ce n'est pas le néant, c'est la promesse de
la vie qui n'est pas tenue. Faute à Dieu ! Et qu'est-ce que la dou-
205 leur sinon l'intégrité[1] du corps démentie ? Un corps fait pour
courir et jouir, un corps tout un, et le voilà vulnéré[2], amputé,
défait. On l'a floué[3]. Non, la douleur ne se vit pas dans la chair,
car toute blessure est une blessure à l'âme ; c'est la promesse qui
n'est pas tenue. Faute à Dieu !
210 Et le mal moral, le mal que les hommes se font les uns aux
autres, n'est-ce pas la paix rompue ? Car la promesse qu'il y
avait dans la chaleur d'une tête blottie entre les deux seins d'une

---

1. État de ce qui est intact, pur, non abîmé.
2. Blessé (du latin *vulnus* : « blessure »).
3. Trompé, pour lui dérober quelque chose.

mère, car la tendresse d'une voix douce qui parlait du plus profond de la gorge lors même que nous ne comprenions pas
215 encore les mots, car cette entente avec tout l'univers que nous
avons connue d'abord, quand l'univers se résumait à deux
mains aimantes qui nous donnaient biberons, sommeil,
caresses, où tout cela est-il passé? Pourquoi cette guerre?
Promesse non tenue! Re-faute à Dieu.

220 Mais le mal le plus grave, oui, la fine pointe du mal, ce dont
toute une existence ne console pas, c'est cet esprit, borné,
limité, que l'intelligence même a rendu imbécile. Il semblerait
que Dieu nous ait donné un esprit uniquement pour que nous
touchions ses limites; la soif sans la boisson. On croit que l'on
225 va tout comprendre, tout connaître, on se croit capable des rap-
prochements les plus inouïs, des échafaudages[1] les plus subtils,
et l'esprit nous lâche en route. Nous ne saurons pas tout. Et
nous ne comprendrons pas grand-chose. Vivrais-je trois cent
mille ans encore que les étoiles, même nombrées, demeure-
230 raient indéchiffrables, et que je chercherais toujours ce que je
fais sur cette terre, les pieds dans cette boue[2]! La finitude[3] de
notre esprit, voilà la dernière de ses promesses non tenues.

Elle serait belle la vie, si ce n'était une traîtrise…

Elle serait facile, la vie, si je n'avais pas cru qu'elle dût être
235 longue, et juste, et heureuse…

---

1. Constructions de l'esprit (sens figuré).
2. Référence à Charles Baudelaire : « Loin ! loin ! ici la boue est faite de nos pleurs ! » (« Mœsta et errabunda »).
3. Le terme a une connotation pascalienne : la finitude de l'homme (ses limites) constitue l'une des misères de l'homme.

L'INCONNU : Tu en attendais trop.

FREUD : Il fallait me faire plus bête, que je n'espère rien...
Voilà, monsieur Oberseit, si Dieu existait, ce serait un Dieu
menteur. Il annoncerait et il lâcherait ! Il ferait mal. Car le mal,
240 c'est la promesse qu'on ne tient pas.

L'INCONNU : Laissez-moi vous expliquer.

FREUD : Expliquer c'est absoudre[1] : je ne veux pas d'explications. Si Dieu était content de ce qu'il a fait, de ce monde-ci, ce
serait un drôle de Dieu, un Dieu cruel, un Dieu sournois[2], un
245 criminel, l'auteur du mal des hommes ! Il vaudrait mieux pour
lui-même qu'il n'existe pas. Au fond, s'il y avait un Dieu, ce ne
pourrait être que le Diable...

L'Inconnu a un haut-le-corps.

L'INCONNU : Freud !

250 FREUD : Walter Oberseit, vous êtes un imposteur, un imposteur brillant, mais vous devriez vous reconnaître un maître dans
l'imposture : ce serait Dieu lui-même.

L'INCONNU : Vous délirez.

FREUD : Alors si Dieu était en face de moi, ce soir, un soir où
255 le monde pleure et ma fille est prise dans les griffes de la Gestapo,
je préférerais lui dire : "Tu n'existes pas ! Si tu es tout-puissant,
alors tu es mauvais ; mais si tu n'es pas mauvais, tu n'es pas bien
puissant[3]. Scélérat ou limité, tu n'es pas un Dieu à la hauteur de

---

1. Pardonner. À l'origine, vocabulaire chrétien : dégager quelqu'un de la responsabilité de ses
péchés.
2. Hypocrite, qui agit méchamment de manière dissimulée.
3. Cette aporie (raisonnement sans issue) est un argument traditionnel de l'athéisme pour prouver
la non-existence de Dieu.

Dieu. Il n'est pas nécessaire que tu sois. Les atomes, le hasard, les
260 chocs, cela suffit bien pour expliquer un univers aussi injuste. Tu
n'es, définitivement, qu'une hypothèse inutile !"

L'INCONNU *(doucement)* : Et Dieu vous répondrait sans
doute ceci : "Si tu pouvais voir, comme moi, à l'avance, le
ruban des années à venir, tu serais plus virulent encore, mais tu
265 détournerais ton accusation vers le vrai responsable." *(Les yeux
plissés.)* Si tu voyais plus loin... *(Sur un ton de visionnaire songeur.)* Ce siècle sera l'un des plus étranges que la terre ait por-
tés. On l'appellera le siècle de l'homme, mais ce sera le siècle de
toutes les pestes. Il y aura la peste rouge, du côté de l'Orient, et
270 puis ici, en Occident, la peste brune[1], celle qui commence à se
répandre sur les murs de Vienne et dont vous ne voyez que les
premiers bubons[2] ; bientôt elle couvrira le monde entier et ne
rencontrera presque plus de résistance. On vous chasse, docteur
Freud ? Estimez-vous heureux ! Les autres, tes amis, tes dis-
275 ciples, tes sœurs, et tous les innocents, on va les tuer... Dizaines
par dizaines, milliers par milliers, dans de fausses salles de
douches qui libéreront du gaz en place d'eau[3] ; et ce seront leurs
frères, aux morts, qui déblaieront les corps et les jetteront dans
les remblais. Et, savez-vous, les nazis feront même du savon
280 avec leurs graisses ?... étrange, n'est-ce pas, que l'on puisse se
laver le cul avec ce que l'on hait ?

---

1. La peste brune désigne le nazisme : les nazis portaient des chemises brunes et Albert Camus a
écrit, en 1947, un roman intitulé *La Peste*, dans lequel l'épidémie de peste à Oran est une allégorie
du développement des fascismes en Europe. Par extension, la peste rouge désigne l'expansion
communiste en Europe de l'Est (ex-URSS) et en Asie (Chine communiste, Corée-du-Nord).
2. Inflammations importantes des ganglions lors de certaines maladies, dont la peste.
3. Allusion aux chambres à gaz des camps d'extermination nazis.

Et il y aura d'autres pestes, mais à l'origine de toutes ces pestes, le même virus, celui même qui t'empêche de croire en moi : l'orgueil !

285 Jamais l'orgueil humain n'aura été si loin. Il fut un temps où l'orgueil humain se contentait de défier Dieu ; aujourd'hui, il le remplace. Il y a une part divine en l'homme ; c'est celle qui lui permet, désormais, de nier Dieu. Vous ne vous contentez pas à moins. Vous avez fait place nette : le monde n'est que le produit

290 du hasard[1], un entêtement confus des molécules ! Et dans l'absence de tout maître, c'est vous qui désormais légiférez[2]. Être le maître... ! Jamais cette folie ne vous prendra le front comme en ce siècle. Le maître de la nature : et vous souillerez la terre et noircirez les nuages ! Le maître de la matière : et vous ferez trembler le

295 monde ! Le maître de la politique : et vous créerez le totalitarisme[3] ! Le maître de la vie : et vous choisirez vos enfants sur catalogue[4] ! Le maître de votre corps : et vous craindrez tellement la maladie et la mort que vous accepterez de subsister à n'importe quel prix, pas vivre mais survivre, anesthésiés, comme des légumes

300 en serre ! Le maître de la morale : et vous penserez que ce sont les hommes qui inventent les lois, et qu'au fond tout se vaut, donc rien ne vaut ! Alors le Dieu sera l'argent, le seul qui subsiste, on lui

---

1. Écho de la théorie évolutionniste selon laquelle le monde ne résulte pas d'une création divine mais d'une série d'évolutions et de mutations génétiques et illustrée notamment par l'ouvrage de Jacques Monod, *Le Hasard et la Nécessité* (1970).
2. Avez le pouvoir de faire les lois.
3. Système politique à parti unique qui n'admet aucune opposition au régime et impose des modes de fonctionnement identiques à tous les sujets de la collectivité.
4. Allusion aux progrès de la génétique et aux questions éthiques qu'ils soulèvent.

construira des temples de partout dans les villes, et tout le monde pensera creux, désormais, dans l'absence de Dieu.

305 Au début, vous vous féliciterez d'avoir tué Dieu. Car si plus rien n'est dû à Dieu, tout revient donc à l'homme. Au début, la vanité ne connaît pas l'angoisse. Vous vous attribuerez toute l'intelligence. Jamais l'histoire n'aura vu des philosophes plus noirs et cependant plus heureux.

310 Mais, Freud, et cela, tu ne le vois pas encore, le monde entier se sera privé de la lumière. Quand un jeune homme, un soir de doute comme cet âge en connaît tant, demandera aux hommes mûrs autour de lui : "S'il vous plaît, quel est le sens de la vie?", personne ne pourra lui répondre.

315 Ce sera votre œuvre.

À toi et à d'autres.

Voilà ce que vous ferez, les grands de ce siècle : vous expliquerez l'homme par l'homme, et la vie par la vie. Que sera l'homme : un fou dans sa cellule, jouant une partie d'échecs

320 entre son inconscient et sa conscience! Après toi, définitivement, l'humanité sera seule dans sa prison. Oh, toi, tu as encore l'ivresse du conquérant, de ceux qui défrichent, de ceux qui fondent... mais pense aux autres, ceux qui naîtront : que leur auras-tu laissé comme monde? L'athéisme révélé! une supersti-

325 tion[1] encore plus sotte que toutes celles qui précèdent!

FREUD *(effrayé)* : Je n'ai pas voulu cela.

Freud se rend alors compte qu'il vient de parler à l'Inconnu

---

1. Croyance irrationnelle.

comme s'il était Dieu. Il se prend la tête entre les mains, gémit et tente de se maîtriser.

330 Walter Oberseit, vous êtes un être remarquablement intelligent et sans doute très malheureux. Malheureusement, je ne suis guère expert en prophétie[1], j'y ai peu de goût... et je crois qu'il vaudrait mieux, pour nous deux, que vous rentriez chez vous.

L'INCONNU : À l'asile ?

335 FREUD : Nous nous verrons demain, je vous le promets.

L'INCONNU : Livrez-moi donc à votre ami le nazi : il sera ravi de la prise et vous remonterez dans son estime !

FREUD : Non, vous allez rentrer tout seul dans votre chambre...

340 L'INCONNU *(corrigeant)* : ... cellule ! *(Un léger temps.)* Il est vrai que cela devient presque une protection, aujourd'hui, d'être considéré comme fou.

Un temps. Freud, extrêmement nerveux, allume un cigare malgré sa gorge qui le brûle. L'Inconnu le regarde faire avec tendresse 345 *et vient se rasseoir en face de lui.*

Mais pourquoi ne vous laissez-vous pas aller ?

FREUD *(spontanément)* : Me laisser aller, jamais ! Aller à quoi, d'ailleurs !

L'INCONNU : Laissez-vous donc aller à croire.

350 FREUD *(presque obsessionnel)* : À quoi serais-je arrivé si je m'étais laissé aller ? Je serais un petit médecin[2] juif à la retraite ;

---

1. Action de prédire l'avenir en prétendant parler au nom d'un dieu.
2. Freud abandonna la carrière de médecin généraliste pour entreprendre des études approfondies de neurologie, puis renonça à la psychiatrie traditionnelle pour ne plus s'intéresser qu'à la méthode de soin par la parole qu'il développa tout au long de sa vie.

de toute ma vie, je n'aurais soigné que des rhumes et des entorses ! *(Il se lève.)* Je n'ai pas besoin de foi. Il me faut des certitudes. Des résultats positifs. Et il ne suffit pas qu'un fou, aussi
355 brillant soit-il, tienne un discours qui… *(Ayant subitement une idée.)* Vous êtes Walter Oberseit, oui ou non ?

L'INCONNU : À votre avis ?

FREUD : Je vous pose une question. Êtes-vous Walter Oberseit ?

360 L'INCONNU : J'aurais tendance à vous répondre "non". Mais Walter Oberseit vous répondrait "non" aussi.

FREUD *(retrouvant de l'énergie)* : Très bien : vous prétendez que vous êtes Dieu ? Prouvez-le !

L'INCONNU : Pardon ?

365 FREUD : Si vous êtes Dieu, prouvez-le ! Je ne crois que ce que je vois[1].

L'INCONNU : Vous me voyez.

FREUD : Je ne vois qu'un homme.

L'INCONNU : Il a bien fallu que je m'incarne. Si je m'étais
370 manifesté en araignée, ou en pot de chambre, nous ne serions pas sortis de l'auberge.

FREUD : Faites un miracle.

L'INCONNU : Vous plaisantez ?

FREUD : Faites un miracle !

375 L'INCONNU *(éclatant de rire)* : Freud, le docteur Freud, un des plus grands esprits du siècle et de l'humanité, le docteur

---

1. Écho du scepticisme matérialiste de saint Thomas (Évangile de Jean : 20, 24-29) qui voulut toucher les plaies de Jésus avant de croire à sa résurrection.

Freud me demande un miracle… Comment voudriez-vous que
je me change, cher ami, en chacal, en soleil, en vache, en Zeus[1]
sur son fauteuil de nuages, en Christ sanguinolent au bout d'un
380 pieu[2] ou bien en Vierge Marie au fond de la grotte[3] ? Je croyais
devoir réserver mes miracles aux imbéciles…

FREUD *(furieux)* : Les imbéciles voient des miracles partout,
tandis que l'on n'abuse pas un savant. Il est vraiment dommage
que Dieu n'ait jamais opéré un miracle en Sorbonne[4] ou en
385 laboratoire.

L'INCONNU *(sarcastique)* : Le miracle serait que vous me
croyiez.

FREUD : Chiche ! *(Sèchement.)* Un miracle !

L'INCONNU : Ridicule ! *(Cédant brusquement.)* Eh bien soit !
390 *(Il semble réfléchir.)* Vous êtes prêt ? Voulez-vous bien me tenir
ma canne ?

*Il tend sa canne à Freud qui, par réflexe, la saisit : à cet instant,
la canne se retourne, se transformant en gros bouquet de fleurs.
Freud a un moment de surprise, voire d'émerveillement.*

395 *L'Inconnu éclate de rire devant la mimique de Freud.*

*Freud comprend la supercherie, le ridicule de sa demande, et
jette le bouquet à terre.*

---

1. Zeus, dieu suprême chez les Grecs (Jupiter chez les Romains), maître du ciel et des phénomènes
météorologiques.
2. Image dévalorisante du traditionnel Christ en croix.
3. Référence à la grotte Massabielle de Lourdes où la Vierge serait apparue à Bernadette
Soubirous.
4. La plus ancienne université de lettres et sciences humaines parisienne, réputée pour sa rigueur
et son classicisme. Désigne par extension tout milieu universitaire exigeant.

FREUD : Partez immédiatement ! Non seulement vous êtes un mythomane, mais vous êtes sujet à une névrose sadique.
400 Vous n'êtes qu'un sadique[1] !
L'Inconnu continue à rire, ce qui a le don d'irriter Freud plus encore.
Un sadique qui profite d'une nuit de trouble ! Un sadique qui jouit de ma faiblesse !
405 *L'Inconnu cesse brusquement de rire. Il semble presque sévère.*
L'INCONNU : S'il n'y avait pas ta faiblesse, par où pourrais-je entrer ?
FREUD : Ça suffit ! Je ne veux plus rien entendre ! Finissons-en une fois pour toutes ! Repassez cette fenêtre et retournez
410 chez vous !
On entend des coups poliment frappés à la porte.
(Avec humeur.) Oui !

---

1. Le sadisme est, pour Freud, une perversion et non une névrose : il résulte de la fixation de la pulsion sexuelle à un stade ou à un objet autre que génital. Le Freud de Schmitt utilise en revanche le terme dans son sens le plus trivial : celui qui trouve du plaisir dans la souffrance d'autrui.

SCÈNE 9
LE NAZI, FREUD, L'INCONNU.

Le Nazi entre, presque respectueusement.
Dès qu'il le voit, l'Inconnu se cache prestement dans un coin sombre du bureau. Freud a un regard sarcastique[1] pour son comportement.

5 LE NAZI *(obséquieux[2])* : Professeur, je me suis juste permis de passer pour vous remettre ce document... votre testament... que je n'ai donc jamais eu dans les mains.

Il regarde Freud d'un air interrogatif pour savoir si Freud est prêt à corroborer sa version.

10 FREUD : Où est ma fille ?

LE NAZI : Ils sont en train de l'interroger, mais cela ne durera pas longtemps, pure routine, je crois bien. En tout cas, je me suis permis d'insister dans ce sens.

En réponse, Freud tend la main pour recevoir son testament.

15 FREUD : Très bien. Je ne vous retiens pas.

Le Nazi ébauche maladroitement un salut et va pour s'en aller.

LE NAZI : Oh, puis, je voulais aussi vous dire... pour le fou qui s'était échappé... on l'a retrouvé.

FREUD : Pardon ?

20 LE NAZI : Vous savez, le schnock[3], de l'asile... il s'était caché

---

1. D'une ironie méchante.
2. D'une politesse exagérée et servile.
3. Fou (terme populaire).

derrière les poubelles de votre cour. On l'a rendu aux infirmiers.

FREUD : Pourquoi me dites-vous cela ?

LE NAZI : Excusez-moi, j'ai cru tout à l'heure que ça vous
25 intéressait.

Il va de nouveau pour sortir.

FREUD : Vous êtes bien sûr de ce que vous dites ?

LE NAZI : À quel sujet ?

FREUD : Le fou ? C'était bien lui ?

30 LE NAZI : Certain.

FREUD : Walter Oberseit ?

LE NAZI : Un nom comme ça... Vous le connaissiez ? En
tout cas, le personnel de l'asile était bien content de le récupérer si vite. Il paraît que lorsqu'il est en forme, il ferait croire
35 n'importe quoi à n'importe qui !... Enfin ça y est, il est bouclé :
nous connaissons notre travail, tout de même. Bonsoir.

FREUD *(défait)* : Bonsoir.

Le Nazi sort.

SCÈNE 10
FREUD, L'INCONNU.

Freud a allumé un énorme cigare pour maîtriser son émotion. L'Inconnu réapparaît et regarde Freud avec compassion. Il s'approche et lui retire le cigare[1] lentement.

L'INCONNU : La mort te brûle déjà. Pas besoin de rajouter
5 des braises...
Freud le laisse faire, comme apaisé.
Un temps.
Freud le regarde avec une grande intensité.
FREUD : Pourquoi es-tu venu ?
10 L'INCONNU *(légèrement gêné)* : Vous dites cela parce que vous
y croyez ou pour vous débarrasser encore de moi ?
FREUD : Pourquoi ?
L'INCONNU *(fuyant)* : Je ne vous sens pas sincère.
FREUD *(plein d'une douce autorité de grand praticien)* : C'est
15 vous qui ne l'êtes pas. Pourquoi êtes-vous venu ? Vous ne devez
pas me celer[2] la vérité.
L'INCONNU : Soit. Je vais vous...
L'Inconnu semble brusquement en proie à un malaise foudroyant.
20 *(Inquiet.)* Freud ! j'ai le cou qui enfle...
FREUD *(calmement)* : Je vois, et vous êtes très rouge...

---

1. Freud était un grand amateur de cigares. Le jour de l'arrestation d'Anna, « le Professeur fume havane sur havane » raconte Paula Fichtl (*cf.* D. Berthelsen, *La Famille Freud au jour le jour*, 2000).
2. Cacher.

L'INCONNU : Mon crâne tape, tape… Que se passe-t-il ?

FREUD : C'est la pudeur.

L'INCONNU : C'est toujours comme cela lorsqu'on va dire la
25 vérité ? Je comprends pourquoi les humains pratiquent tant le
mensonge. *(Amusé.)* Ce que c'est que de trop bien s'incarner !

FREUD *(le regardant intensément)* : Assez de détours.
Pourquoi êtes-vous venu ?

L'INCONNU *(fermé)* : Pas pour vous convertir.

30 FREUD : Mais encore ?

L'INCONNU : Par ennui.

FREUD : Vous plaisantez…

L'INCONNU : Méfiez-vous des explications superficielles,
elles sont souvent vraies. *(Un temps. Légèrement provocateur.)*
35 Non, ce n'est pas par ennui : c'est par haine. Je vous en veux.

FREUD : De quoi ?

L'INCONNU *(comme un dandy d'Oscar Wilde[1])* : D'être
hommes. D'être bêtes, d'être bornés, imbéciles ! Croyez-vous
que ce soit un sort enviable d'être Dieu ?

40 *Il s'assoit, les jambes élégamment croisées.*

J'ai tout, je suis tout, je sais tout. Rond, rassasié, plein
comme un œuf, gavé, écœuré depuis l'aube du monde ! Que
pourrais-je bien vouloir que je n'aurais pas ? Rien, sauf une fin !
Car je n'ai pas de terme… ni mort ni au-delà… rien… je ne
45 peux même pas croire en quelque chose, à part en moi… Sais-

---

1. Écrivain irlandais du XIXe siècle, dandy lui-même et homosexuel, auteur du célèbre *Portrait de Dorian Gray.*

tu ce que c'est, l'état de Dieu? La seule prison dont on ne s'évade pas.

FREUD : Et nous?

L'INCONNU : Qui, nous?

50   FREUD : Les hommes? *(Hésitant.)* Ne sommes-nous pas… une distraction?

L'INCONNU : Vous relisez vos livres, vous? *(Signe négatif de Freud. L'Inconnu résume le monde :)* Rien au-dessus, tout en dessous. J'ai tout fait. Où que j'aille, je ne rencontre que moi-

55   même ou mes créatures. Dans leur présomption, les hommes ne songent guère que Dieu est nécessairement en mauvaise compagnie! Être le tout est d'un ennui… Et d'une solitude…

FREUD *(doucement)* : La solitude du prince[1]…

L'INCONNU *(rêveur, en écho)* : La solitude du prince…

60   *Dans la rue, on entend le bruit d'une poursuite. Un couple est poursuivi par les nazis. Cris angoissés des fuyards. Aboiements des nazis. Freud et l'Inconnu ont un frisson d'inquiétude.*

(Subitement.) Vous me croyez?

FREUD : Pas du tout.

65   L'INCONNU : Vous avez raison.

Dans la rue, la femme et l'homme ont été arrêtés. On les entend crier sous les coups. C'est insoutenable.

Freud se lève précipitamment pour aller à la fenêtre.

L'Inconnu s'interpose et lui en barre l'accès.

---

1. Allusion au *Prince* de Machiavel, tout-puissant dans la mesure seulement où il ne dévoile rien de ses intentions à ses sujets.

70 Non, s'il vous plaît.

FREUD : Et vous les laissez faire !

L'INCONNU : J'ai fait l'homme libre.

FREUD : Libre pour le mal !

L'INCONNU *(l'empêchant de passer, malgré les cris qui s'ampli-*
75 *fient)* : Libre pour le bien comme pour le mal, sinon la liberté
n'est rien.

FREUD : Donc vous n'êtes pas responsable[1] ?

Pour toute réponse, l'Inconnu cesse brusquement de retenir
Freud. Celui-ci se précipite vers la fenêtre.
80 *Les cris se calment. On entend seulement les bottes s'éloigner.*
L'Inconnu s'est laissé tomber sur un siège.
Ils ont arrêté un couple. Ils l'emmènent... *(Se tournant vers*
l'Inconnu.) Où ?

L'INCONNU *(sans force)* : Dans des camps...

85 FREUD : Des camps ?

Freud est effaré par cette nouvelle. Il s'approche de l'Inconnu qui
est bien plus défait que lui encore...
Empêchez-les ! Empêchez tout ça ! Comment voudriez-vous
qu'on croit encore en vous après tout ça ! Arrêtez !
90 *Il le secoue par le col.*

L'INCONNU : Je ne peux pas.

FREUD *(véhément)* : Allez ! Intervenez ! Arrêtez ce cauchemar,
vite !

---

1. Seul un homme libre peut être responsable, mais la responsabilité de l'homme annule-t-elle celle de Dieu, être libre par excellence ?

L'INCONNU : Je ne peux pas. Je ne peux plus !

95 *L'Inconnu se dégage, rassemble ses forces pour aller fermer la*
fenêtre. Au moins, le bruit des bottes a disparu...
Il s'appuie contre la vitre, épuisé.

FREUD : Tu[1] es tout-puissant !

L'INCONNU : Faux. Le moment où j'ai fait les hommes libres,
100 j'ai perdu la toute-puissance et l'omniscience[2]. J'aurais pu tout
contrôler et tout connaître d'avance si j'avais simplement
construit des automates.

FREUD : Alors pourquoi l'avoir fait, ce monde ?

L'INCONNU : Pour la raison qui fait faire toutes les bêtises,
105 pour la raison qui fait tout faire, sans quoi rien ne serait... par
amour.

Il regarde Freud qui semble mal à l'aise.

Tu baisses les yeux, mon Freud, tu ne veux pas de ça, hein,
toi, un Dieu qui aime ? Tu préfères un Dieu qui gronde, les
110 sourcils vengeurs, le front plissé, la foudre entre les mains[3] ?
Vous préférez tous ça, les hommes, un Père terrible, au lieu
d'un Père qui aime...

Il s'approche de Freud qui est assis, et s'agenouille devant lui.

Et pourquoi vous aurais-je faits si ce n'était par amour ? Mais
115 vous n'en voulez pas, de la tendresse de Dieu, vous ne voulez
pas d'un Dieu qui pleure... qui souffre... *(Tendrement.)* Oh,

---

1. Notez le tutoiement soudain.
2. Capacité de tout savoir des choses passées, présentes et à venir. L'omniscience est une des qualités que la théologie attribue à Dieu.
3. Image d'un dieu de colère qui évoque le Zeus gréco-romain.

oui, tu voudrais un Dieu devant qui on se prosterne mais pas
un Dieu qui s'agenouille…

Il est à genoux devant Freud. Il lui tient la main. Freud, trop
120 *pudique, regarde ailleurs.*

L'Inconnu se relève et s'approche de la fenêtre d'où afflue une
musique. Il l'ouvre. On entend alors les chants nazis.

C'est beau, n'est-ce pas ?

FREUD : Malheureusement. Si la bêtise pouvait être laide…

125 L'INCONNU : La beauté… vous aimez beaucoup cela, vous
autres, les hommes.

FREUD *(surpris)* : Pas vous ?

L'INCONNU : Oh moi !… *(Se souvenant.)* Si, une fois, j'ai été
surpris… Une fois il y eut… *(Il lève alors la tête, semblant*
130 *humer l'air de toutes ses narines, et l'on entend un chant qui se pré-*
cise. Freud tend l'oreille.) Je connais le murmure des nuages, je
connais le chant des oies sauvages lorsque, en bataillon trian-
gulaire, elles font cap sur l'Afrique, je connais les rêves des
taupes, les cris d'amour des vers de terre et les déchirements
135 violents de l'azur par les comètes, mais ça… *(On entend tou-*
jours plus précisément la musique.)… ça, je ne connaissais pas.

La musique monte. Il s'agit de l'air de la Comtesse, "Dove sono
i bei momenti[1]*", dans les Noces de Figaro.*

J'ai cru tout d'abord qu'un des vents de la Terre s'était égaré
140 sur la Voie lactée… j'ai cru… que j'avais une mère qui m'ou-
vrait ses bras du fond de l'infini… j'ai cru…

---

1. « Où sont les beaux moments ».

FREUD : Qu'était-ce ?

L'INCONNU : Mozart. À vous faire croire en l'homme...

La musique continue. Freud est à son bureau, la tête appuyée
145 *sur les mains, écoutant la musique les yeux fermés[1].*

L'Inconnu s'efface derrière le rideau sans qu'il s'en rende compte.

---

1. Freud n'était pas du tout mélomane mais il se surprend, en caressant son chien Topsy, à fredon-
ner l'aria du *Don Juan* de Mozart : « Un lien d'amitié/Nous unit tous deux... » (*cf.* E. Jones, *La Vie et
l'Œuvre de Sigmund Freud*, 2000).

SCÈNE 11

ANNA, FREUD, L'INCONNU CACHÉ.

Anna entre rapidement dans la pièce. Elle s'arrête quand elle voit son père à son bureau. Freud ne l'a encore ni vue, ni entendue. Elle se place devant lui et dit avec émotion :

ANNA : Papa!

5 *La musique s'évanouit.*

Freud sort de sa torpeur songeuse et, dans un râle où se mêlent l'extrême douleur et l'extrême joie, murmure :

FREUD : Anna...

Ils se jettent dans les bras l'un de l'autre.

10 *Freud, les larmes aux yeux, la caresse comme une petite fille.*

Mon Anna, ma joie, mon souci, mon orgueil...

Anna se laisse aller contre lui.

Ils t'ont fait mal?

ANNA : Ils ne m'ont pas touchée.

15 *Freud la serre encore plus fort contre lui.*

Ils m'ont interrogée sur notre société... ils voulaient savoir si l'Association internationale de psychanalyse[1] était politique... j'ai réussi à les convaincre du contraire... Papa, c'est toi qui me fais mal...

20 *Freud desserre légèrement son étreinte.*

... je nous ai décrits comme une bande d'inoffensifs ama-

---

1. Anna Freud en était la présidente. Le fils aîné de Freud, Martin, dirigeait la « société » d'éditions psychanalytiques, dite Verlag.

teurs… j'ai honte… *(Se ressaisissant.)* Nous ne devons pas attendre une minute. J'ai entendu des choses terribles, là-bas : il semblerait qu'on emmène les juifs dans des camps, et qu'une
25 fois dans ces camps, on n'ait plus de nouvelles…

FREUD *(sombre)* : Je sais.

Anna a un regard de surprise.

ANNA *(continuant quand même)* : Mais il y a plus grave encore : les juifs se taisent, papa. Ils se laissent enfermer là-bas, à
30 la Gestapo, ils attendent des heures sans protester, on les insulte, on leur crache dessus, on les déporte et ils ne disent rien.

Elle marche rageusement.

Ils se comportent comme des coupables ! Mais qu'ont-ils fait
35 pour mériter cela ? Être juif ? Mais être juif, cela correspond à quel crime ? Quelle faute ? Et la petite Macha qui vient de naître, ta petite-fille, de quoi est-elle déjà coupable ? D'être née ? D'exister ?

FREUD : Nous allons partir.

40 ANNA : Nous partirons et nous parlerons. Nous le dirons au monde entier.

FREUD : Nous partirons et nous nous tairons. Parce qu'il restera mes deux sœurs[1] à Vienne… et qu'on leur ferait payer. Parce qu'il restera des juifs derrière nous sur qui on se vengera
45 de nos insolences…

---

1. En réalité, Freud laissa en Autriche quatre sœurs, Rosa, Marie, Adolfine et Paula, qui disparurent dans les fours crématoires d'Auschwitz et de Theresienstadt.

ANNA : Alors toi aussi ! Toi aussi, tu vas te taire ?

FREUD : De toute façon j'ai déjà la mort dans la gorge.

Anna se jette dans ses bras.

Nous allons partir, ma petite fille.

50 *Freud se met alors à tousser violemment.*

ANNA : Tu as fumé !

FREUD : Je t'attendais.

ANNA : Peu importe, tu ne dois pas fumer !

Freud saisit sa gorge à laquelle il a maintenant très mal.

55 FREUD : Le nœud se resserre, Anna. *(Réunissant ses forces.)*
Nous allons partir. J'étais irresponsable, je te faisais prendre
trop de risques en restant ici, je ne pensais qu'à ma vieille peau
viennoise… qui a si peu d'importance…

Soudain, il se rend compte que l'Inconnu n'est plus là.

60 Mais où est-il ? Il faut que je vous présente. Il était là il y a
un instant…

ANNA : De quoi parles-tu ?

FREUD *(allant soulever les rideaux)* : J'ai eu une visite, pendant ton absence, une visite extraordinaire, une visite qui m'a
65 redonné l'espoir…

ANNA : Qui était-ce ?

FREUD *(triomphalement)* : Un inconnu ! Un visiteur qui
mérite d'être connu, je ne peux pas t'en dire plus. *(Cherchant
désespérément partout.)* Mais voyons, il n'est pas sorti… ni par
70 la porte, ni par la fenêtre ! Nous parlions lorsque tu es rentrée.

ANNA : Tu étais seul.

FREUD : C'est qu'il s'est caché dès qu'il t'a vue. Nous étions en train de discuter.

ANNA *(tendrement)* : Papa, lorsque je suis entrée, tu étais assis
75 à ton bureau, dans la position que tu as lorsque tu dors.

FREUD *(révolté)* : Je ne dormais pas. C'est impossible.

ANNA : Alors où est ton visiteur ?

Freud tape violemment dans les rideaux.

FREUD : Je ne dormais pas, je ne dormais pas ! Tu n'as pas en-
80 tendu la musique ?

ANNA : Je vais nous faire une tisane et tu me raconteras ton rêve.

Elle sort.

SCÈNE 12

FREUD, L'INCONNU.

L'Inconnu passe la porte, quelques secondes après la sortie d'Anna. Il considère Freud qui le cherche encore, avec une tendresse dont la moquerie n'est pas absente.

L'INCONNU : Je m'en serais voulu de gâcher ces retrouvailles.

5   FREUD *(se retournant)* : Où étiez-vous ?

L'INCONNU *(elliptique)* : Les nécessités de l'incarnation physique[1].

Freud ne comprend pas. L'Inconnu lui fait signe qu'il est allé uriner...

10   Un phénomène fascinant : j'avais l'impression d'être devenu une fontaine.

FREUD : Restez. Il faut qu'Anna vous voie.

L'INCONNU : Non.

FREUD : Si...

15   L'INCONNU : Vous lui raconterez...

FREUD : Elle a besoin de vous, elle aussi, surtout ce soir.

L'INCONNU : Si elle est aussi têtue que vous, la nuit risque d'être longue.

FREUD : Je vous en prie.

20   L'INCONNU *(cédant)* : À vos risques et périls...

---

1. Périphrase précieuse.

SCÈNE 13
ANNA, FREUD, L'INCONNU.

Anna entre, portant un plateau comprenant un riche nécessaire à tisane.

Elle ne voit pas d'emblée l'Inconnu.

Se déroule alors tout un jeu silencieux où Freud essaie de placer
5 *l'Inconnu dans son champ de vision dont elle se détourne toujours ultimement.*

Enfin, en désespoir de cause, Freud prend la parole.

FREUD : Tu ne vois pas mon visiteur ?

Anna se retourne, le voit, et dit tranquillement, sur un ton
10 *presque morne :*

ANNA : Ah, c'est vous ?

Et elle prend la tisanière vide à la main. Anna, avec une politesse de commande.

Asseyez-vous donc. Vous prendrez de la tisane, sans doute ?
15 J'ajoute une tasse.

Et elle ressort, les laissant ahuris de surprise.

SCÈNE 14
FREUD, L'INCONNU.

Freud, abasourdi par la tranquillité quotidienne d'Anna, se tourne vers l'Inconnu et demande :

FREUD : "Ah, c'est vous" ! Comment ça : "Ah, c'est vous" ? Vous vous connaissez ?

5   L'INCONNU : Mais je vous assure que non. Je n'en savais rien.

Anna est déjà revenue.

SCÈNE 15
ANNA, FREUD, L'INCONNU.

Elle apporte l'eau chaude et la tasse manquante.

FREUD : Tu connais… monsieur…

ANNA : Oui. Naturellement. De vue…

FREUD : Mais pour qui le prends-tu ?

5 ANNA : Pardon ?

FREUD : Pour qui prends-tu monsieur ?

ANNA : Je le prends pour ce qu'il est.

FREUD *(agacé)* : Mais encore ?

ANNA : Père, je ne voudrais pas être incorrecte avec ton
10 invité.

FREUD : Anna ! Pour qui prends-tu monsieur ?

ANNA : Je le prends pour un homme qui me suit chaque
après-midi depuis quinze jours toutes les fois où je me rends au
jardin d'enfants. Il ne manque jamais de m'adresser des sourires
15 auxquels je ne réponds pas et de me faire des clins d'œil que je
fais semblant de ne jamais voir. En peu de mots, monsieur est
un homme mal élevé.

L'INCONNU : Ah, mais je vous assure que jamais…

ANNA : N'insistez pas, monsieur. Je vous apprécie assez peu
20 mais j'apprécie encore moins que vous fassiez le siège de mon
père pour arriver à moi : vous le fatiguez et vous ne changez pas
ma position[1], loin de là.

---

1. Allusion à la relation homosexuelle d'Anna avec Dorothy Burlingham.

L'INCONNU : Je vous assure que ce n'est pas moi.

ANNA : Alors vous avez un sosie ! Un sosie parfait, monsieur.
25 C'est un miracle d'avoir un sosie pareil. Je vous laisse, père, je reviendrai lorsque ton invité sera parti.

Elle sort.

SCÈNE 16
FREUD, L'INCONNU.

Freud demeure rigide.
L'Inconnu, peu affecté, se sert une tasse de tisane.
FREUD : Vous auriez pu le prévoir. Vous auriez dû le prévoir puisque vous savez tout.
5   L'INCONNU *(légèrement)* : Presque tout.
FREUD : J'exige des explications.
L'INCONNU : Ça y est, Freud : l'épine! Tu doutes de nouveau. *(Plaintif.)* Tu ne vas pas continuer, j'espère? *(Lui tendant très mondainement une tasse et imitant une maîtresse de maison.)*
10   Vous prendrez bien un peu de recul? *(Il rit. Un temps.)* Personne ne me voit, chacun projette sur moi l'image qui lui convient, ou qui l'obsède : j'ai déjà été blanc, noir, jaune, barbu, glabre, avec dix bras… et même femme! Je pense qu'au fond ta petite Anna ne trouve pas si déplaisant l'inconnu du
15   jardin d'enfants…
FREUD *(prenant machinalement la tasse)* : Soit.
Ils boivent.
L'Inconnu ne peut retenir un petit rire.
FREUD : Pourquoi riez-vous?
20   L'INCONNU : Je me demande si, avec ce que je bois là, je vais pouvoir recommencer à faire la fontaine?
Il rit encore et regarde Freud.
Le docteur Freud me trouve puéril. On est toujours puéril lorsqu'on s'émerveille de la vie.

25   *Il cesse brusquement d'être badin*[1] *et pose la main sur l'épaule de Freud.*

Je pars, Freud. Je n'ai ni père, ni mère, ni sexe, ni inconscient. Vous ne pouviez rien pour moi mais vous avez été une oreille. Merci.

30   FREUD : Vous me quittez ?

L'INCONNU : Je ne t'ai jamais quitté.

FREUD : Je ne vous reverrai plus ?

L'INCONNU : Autant que vous le voudrez. Mais pas avec les yeux.

35   FREUD : Comment ?

L'INCONNU *(lui pose le doigt sur le cœur)* : J'étais là, Freud, j'ai toujours été là, caché. Et tu ne m'as jamais trouvé ; et tu ne m'as jamais perdu. Et lorsque je t'entendais dire que tu ne croyais pas en Dieu, j'avais l'impression d'entendre un rossignol qui se

40   plaignait de ne pas savoir la musique. *(Il ouvre la fenêtre et se penche au-dehors.)* Docteur Freud, vous allez partir. Emmenez le plus de gens possible avec vous[2]. Sauvez-les.

Il se retourne et reprend son élégant manteau de soirée.

Bonsoir.

45   FREUD *(subitement agressif)* : Vous restez.

L'INCONNU *(paisible)* : J'ai dit : Bonsoir, Freud.

Freud va se mettre en travers de la fenêtre pour l'empêcher de passer.

---

1. Enjoué, espiègle.
2. Grâce à ses appuis étrangers, Freud put faire sortir d'Autriche sa famille, celle de son médecin, Max Schur, deux employées de maison, dont Paula Fichtl, ainsi que des membres de la famille de son ancien collègue, Breuer.

FREUD : Pas question !

50   L'INCONNU : Quelle faiblesse, Freud !

FREUD : Vous ne sortirez pas par la fenêtre, comme un être humain, comme un escroc. Vous disparaîtrez, là, sous mes yeux !

L'INCONNU *(souriant)* : L'épine. Toujours l'épine.

55   *Il s'approche de la fenêtre et, en regardant Freud fixement, obtient que celui-ci s'efface, comme mû par un pouvoir invisible.* Bonsoir.

Freud récupère ses esprits et prend subitement le revolver qu'il avait laissé sur la table et, le tenant à bout de bras, met l'Inconnu 60 *en joue.*

FREUD : Je vais tirer.

L'INCONNU *(avec un sourire)* : Ah oui ?

FREUD : Je vais tirer.

L'INCONNU : Bien sûr. *(Un temps.)* Mais si j'étais ce fou qui 65 s'échappa ce soir, ce Walter Oberseit, ou bien cet homme qui poursuit chaque après-midi Anna de ses assiduités, vous feriez un cadavre. Une balle : un mort. Pensez, docteur Freud, perdre la foi et la liberté au même instant, et puis finir dans une prison pour meurtre, le pari en vaut-il la peine ?

70   FREUD *(tremblant)* : J'ai confiance. Vous ne tomberez pas.

L'INCONNU : Eh bien, restez-en là. La foi doit se nourrir de foi, non de preuves.

FREUD *(les mains vacillantes)* : Pourquoi vous moquer ? Tu serais le diable, tu ne ferais pas autrement.

75 L'INCONNU : Un Dieu qui se manifesterait clairement comme Dieu ne serait pas Dieu mais seulement le roi du monde[1]. Je m'enveloppe d'obscur, j'ai besoin du secret ; sinon, que vous resterait-il à décider ? *(Mettant le canon de l'arme sur son cœur.)* Je suis un mystère, Freud, pas une énigme.

80 FREUD : Je ne suis pas converti.

L'INCONNU : Mais toi seul peux te convertir : tu es libre ! C'est toujours l'homme qui fait parler les voix…

FREUD : Je n'ai rien gagné.

L'INCONNU : Jusqu'à ce soir, tu pensais que la vie était 85 absurde. Désormais tu sauras qu'elle est mystérieuse.

FREUD : Aide-moi.

L'INCONNU *(il enjambe la fenêtre)* : Au revoir, Freud.

Il disparaît.

---

1. « Le roi du monde » est une périphrase employée ordinairement pour désigner Satan, maître des choses de ce monde. L'Inconnu se défend d'être le Diable.

SCÈNE 17
FREUD SEUL.

Freud a un geste pour rattraper l'Inconnu, mais celui-ci s'échappe.

FREUD : Il a disparu ?

Il se penche par la fenêtre.

5 Ah, tu me nargues[1] !... tu ne veux pas disparaître... tu descends le long de la gouttière, comme un voleur ! *(Pris de rage.)* Ça ne se passera pas comme ça !

Il court au bureau où il reprend son arme et s'approche près de la fenêtre. Il ferme les yeux et tire un coup en direction de l'In-
10 *connu. Puis, toussant à travers la fumée, il se penche pour voir.*

Raté !

Fin.

---

1. Tu me provoques insolemment.

Après-texte

POUR COMPRENDRE

Lire

1 Quelle est la fonction des trois premières scènes ?

2 Si vous deviez découper la pièce en plusieurs actes, quel choix feriez-vous ?

3 La pièce se déroule « en temps réel ». Qu'est-ce que cela signifie ? Quel effet dramatique cela produit-il ?

4 Que représente le personnage du Nazi ?

5 Quel rôle joue le personnage d'Anna dans la construction dramatique de la pièce ?

6 Les doubles rideaux du cabinet du docteur Freud ont plusieurs fonctions : lesquelles ?

7 Pourquoi l'Inconnu a-t-il revêtu l'apparence d'un acteur (p. 44, l. 322-323) ?

8 Que signifie le nom de Walter Oberseit ?

9 La pièce contient de nombreux coups de théâtre. Quels effets produisent-ils ? Sont-ils tous de même nature ?

10 Quelles sont les différentes interprétations de l'identité de l'Inconnu proposées dans la pièce ? Comment s'articulent-elles entre elles ?

Écrire

Écrits d'invention

11 Imaginez le récit que pourrait faire Anna Freud de cette soirée très étrange en le consignant dans son journal intime.

12 Écrivez de manière ludique un article de journal destiné au *Paradis-Presse*, journal divin à l'usage des anges. Le titre en sera : « Dernière visite de Dieu le Père en territoire humain » ; rubrique « Incarnations ».

13 Ajoutez à la pièce une courte scène de votre choix, à l'endroit de votre choix, en respectant toutefois la structure narrative du *Visiteur*.

Chercher

14 Le mot « foi » est-il présent dans la pièce ? Que conclure de votre recherche ?

15 En quoi peut-on dire de cette pièce qu'elle est une pièce policière ?

16 Quels sont les éléments de la pièce qui relèvent du surnaturel ou qui en sont proches ?

Oral

17 Transformez-vous en griots africains et racontez, avec gestes et musique, la mirifique histoire de la

rencontre de Dieu-fétiche et de tou-
bab Freud.

18 Chaque élève lit les quatre ou cinq
passages qu'il a préférés (au maxi-
mum 20 lignes par élève). Les élèves
se succèdent sans discontinuer.

À SAVOIR

POUR COMPRENDRE

VOCABULAIRE ÉLÉMENTAIRE DU THÉÂTRE

• *Acte et scène* : contrairement à l'acte, qui est un découpage artificiel
d'une pièce variable suivant les époques, les conditions matérielles des
représentations et les conceptions théâtrales, la scène est déterminée de
manière proprement dramatique par l'entrée ou la sortie d'un personnage.
Sur ce modèle, *Le Visiteur* est une pièce assez courte découpée en dix-sept
scènes et ne comportant aucun acte. Construite en huis clos autour d'une
action extrêmement serrée, elle est sortie, seulement en apparence, des
cadres d'un théâtre classique : un lecteur averti peut y voir un prologue et cinq
actes s'y succéder autour du personnage énigmatique de l'Inconnu.

• *Didascalies* : indications scéniques données par l'auteur, généralement écrites
en italiques, les didascalies confèrent au texte théâtral une dimension descrip-
tive qui rappelle que le théâtre est aussi un texte narratif hautement discursif.
À peine présentes dans le théâtre du XVIIe siècle, elles surabondent dans celui du
XXe, et certaines didascalies du *Visiteur*, écrites de manière très élaborée, nous
rappellent qu'Éric-Emmanuel Schmitt est également un romancier.

• *Réplique et tirade* : la réplique est la courte adresse d'un personnage à un
autre dans le dialogue théâtral, tandis qu'une tirade est une longue réplique,
sous forme d'un discours dont la portée dépasse souvent le cadre de la scène.
Dans *Le Visiteur*, les échanges sont rapides, piquants ; les rares tirades
(pp. 70 à 75) mettent en jeu essentiellement la dimension philosophique et
argumentative de la pièce.

• *Intrigue et histoire (ou fable ou argument)* : l'histoire est la suite chronolo-
gique des événements d'une pièce qui pourrait faire l'objet d'une narrativisa-
tion sous forme d'un récit. En revanche, l'intrigue ne s'intéresse qu'aux rebon-
dissements de l'histoire et aux moyens par lesquels se fait la progression dramatique. L'intrigue du *Visiteur* repose sur une série de coups de théâtre qui
suscitent chez le spectateur tantôt l'inquiétude (comme l'arrestation d'Anna),
tantôt la curiosité amusée (comme l'apparition de l'Inconnu ou la nouvelle de
l'arrestation du fou).

POUR COMPRENDRE

Lire

1 Quelles indications la liste des personnages nous donne-t-elle sur la nature même de la pièce ?

2 Que nous apprennent les premières didascalies de la situation où se trouvent les personnages ?

3 « Si, au moins, ils chantaient mal... » (p. 16, l. 30) : que présuppose cette réflexion de Freud ?

4 Quelle vision des âges de la vie humaine est développée dans la première scène ?

5 Quel commentaire vous inspire la sentence de Freud : « Les adultes sont spontanément idiots » (p. 17, l. 45) ?

6 Par quel jeu métaphorique la mort est-elle présentée (pp. 19-20) ?

7 Pourquoi le Nazi peut-il parler d'« humour juif » (p. 22, l. 37) ?

8 Quelle interprétation donner à la phrase de Freud : « je ne savais plus que j'étais juif » (p. 22, l. 38-39) ?

9 Quelle représentation de juif imaginaire se manifeste dans les propos du Nazi (pp. 24-25) ?

10 Quelle interprétation psychanalytique Anna donne-t-elle du nazisme (pp. 25-26) ?

11 À quel dilemme Freud est-il conduit ?

Écrire

Écrit d'invention

12 Sur le modèle de la description d'Anna (p. 18, l. 75-85), écrivez une scène d'exactions en vous inspirant des atrocités commises de nos jours dans certains pays.

Écrit d'argumentation

13 Donnez la parole aux livres « bousculés » ou « brûlés » (p. 21, l. 11-12 et 17-21) par les nazis sous forme d'un réquisitoire.

Chercher

14 Établissez une chronologie de la vie de Freud entre 1937 et 1939.

15 Quel a été le sort des intellectuels dans l'Allemagne nazie ?

16 Dans l'œuvre de Freud, quelle est la place de la sexualité ? Quel est le statut du rêve et quels sont les outils qui en permettent l'analyse ?

17 Les relations entre le rêve ou le songe et la réalité ont suscité la réflexion des philosophes et des écrivains. Proposez quelques approches de ce motif philosophique (conceptions épicurienne, baroque, chinoise...).

18 Quelle figure de la mythologie grecque évoque le personnage d'Anna ?

Oral

19 Jouez la scène 2 du *Visiteur*, puis
la scène 10 de l'*Antigone* d'Anouilh.

À SAVOIR

L'ANTISÉMITISME NAZI ENTRE 1933 ET 1939

En 1933, environ 500 000 juifs vivaient en Allemagne et 200 000 en Autriche. Un an après l'annexion de l'Autriche, plus de 100 000 juifs autrichiens avaient émigré.

Dès l'arrivée au pouvoir d'Hitler, en 1933, les exactions se multiplient contre les juifs : intimidations, arrestations, attentats, boycottages de magasins juifs. Les fonctionnaires « non aryens » sont exclus des administrations. Les juifs sont interdits de journalisme, puis de toute activité littéraire. Les œuvres d'écrivains juifs (Freud, Marx, Zweig) sont brûlées à Berlin le 10 mai 1933. Les lois de Nuremberg (septembre 1935) visent à rendre l'Allemagne *Judenrei*, c'est-à-dire nettoyée des juifs. Ces derniers, assimilés à une « vermine », se voient privés de la citoyenneté allemande et exclus de toute vie politique. Les mariages et les relations sexuelles avec des juifs sont interdits.

Les mesures antisémites s'intensifient en 1938. En juin, tous les juifs ayant commis le moindre délit sont arrêtés ; en juillet, les médecins juifs sont rayés du conseil de l'Ordre ; en septembre, ce sera le tour des avocats.

Le 9 novembre 1938, le gouvernement hitlérien prend prétexte de l'attentat perpétré par un jeune juif contre le conseiller d'ambassade von Rath à Paris pour lancer une vague de persécutions sanglantes : c'est la Nuit de cristal. Des milliers de magasins et près de deux cents synagogues sont mis à sac ou brûlés, 91 juifs sont tués et des centaines blessés, 35 000 sont emmenés en camps de concentration. Les enfants juifs sont exclus des écoles, les entreprises juives mises à la vente obligatoire. Jardins publics, cinémas, théâtres sont désormais interdits aux juifs. En janvier 1939, leur passeport est marqué d'un J. En octobre 1939, le port de l'étoile jaune sera obligatoire. En 1940, il ne leur sera plus possible de quitter le territoire allemand.

Mais, en 1938, le gouvernement hitlérien favorise encore l'émigration juive, bonne affaire pour les nazis, car seuls les juifs qui lèguent leur patrimoine au Reich ou qui sont « rachetés » par des étrangers sont autorisés à partir. Sigmund Freud est de ceux-là.

POUR COMPRENDRE

Lire

1 Pourquoi y a-t-il une majuscule à « Inconnu » ?

2 Quel autre personnage célèbre évoque la description de l'Inconnu ?

3 Comment interprétez-vous la réplique « Alors ne me demandez pas de vous raconter des histoires. » (l. 50-51) ?

4 Combien de fois Freud pose-t-il la question : « Qui êtes-vous ? » ? A-t-elle chaque fois exactement le même sens ?

5 Par quels procédés l'Inconnu finit-il par persuader Freud de ne pas le chasser ?

6 « Les voyants ont les yeux crevés » (l. 302) : en quoi cette référence convient-elle au personnage du docteur Freud ?

7 Commentez la phrase prononcée par Freud : « j'aurais pu ne pas être ce corps-là. » (l. 335-336).

8 Quel glissement de sens s'opère entre « je ne peux pas croire que c'est vous » (l. 341-342) et « Tu ne crois pas en moi. » (l. 343) ?

9 Quelle vision de l'écrivain transparaît dans la réplique de l'Inconnu, lignes 368 à 371 ?

10 Selon l'Inconnu, quelle interprétation Freud donne-t-il de Dieu (pp. 46-48) ?

Écrire

Écrits d'invention

11 Écrivez, à l'imitation du récit de l'Inconnu (l. 175-210), un de vos souvenirs d'enfance dans lequel vous avez fait pour la première fois l'expérience de la solitude.

12 Qui êtes-vous ? Répondez à cette question sous forme de portrait chinois, de petite annonce, de questionnaire administratif et d'autoportrait.

Chercher

13 Quelle est la thèse défendue par Freud dans *L'Homme Moïse et la Religion monothéiste* ? Pourquoi l'Inconnu préfère-t-il ne pas dire ce qu'il en pense ?

14 Qu'est-ce qu'un névrosé ? Faites un exposé sur la théorie freudienne des névroses.

15 Pourquoi les psychanalystes utilisent-ils un divan (ici, un « sofa ») ?

16 Recherchez des souvenirs de toute petite enfance dans des autobiographies d'écrivains.

Oral

17 Un élève demande à un autre sur différents tons : « Qui êtes-vous ? ». Le second explique ensuite au premier ce qu'il a ressenti.

18 Un élève assis devant un autre en lui tournant le dos lui raconte un de ses souvenirs d'enfance. Ils discuteront ensuite de leurs ressentis.

À SAVOIR

POUR COMPRENDRE

QUELQUES CLÉS D'ACCÈS À LA PSYCHANALYSE

Contrairement à l'idée reçue, Freud n'a pas découvert l'inconscient, reconnu dès l'Antiquité, mais son mode de fonctionnement. Un ensemble de pulsions complexes, organisé autour d'une énergie d'origine sexuelle, la *libido*, voit sa libre manifestation entravée par l'influence conjuguée des interdits parentaux et sociaux. Par un jeu de déplacements métaphoriques ou métonymiques, les désirs ainsi refoulés dans l'inconscient se disent indirectement dans les rêves, dans les corps atteints de symptômes divers et inexpliqués, dans les actes manqués de la vie quotidienne ou dans les comportements aberrants (conduite répétitive, manifestations phobiques, obsessionnelles, fétichistes...). Les névroses résultent de ces frustrations sexuelles produites par les exigences de la réalité.

À travers une écoute particulière de la parole de son patient, le psychanalyste occasionne un lent travail de réminiscence, notamment des événements traumatiques du passé (c'est à une anamnèse de ce type que se livre l'Inconnu sur Freud, pp. 37-39). Il lui permet ainsi de nommer de manière cathartique ce qui a été refoulé dans son inconscient, après avoir été censuré, et qui hante sa vie comme un fantôme en l'empêchant d'être un sujet libre et responsable.

Le complexe d'Œdipe est au cœur de la psychanalyse. Le héros mythologique, qui fut, sans le savoir, amant de sa mère et assassin de son père, représente les désirs inconscients de tout jeune enfant. Pour devenir adulte, ce dernier doit accepter l'interdit de l'inceste et la loi représentée par une castration symbolique ordonnée par le père, dépositaire virtuel des règles sociales d'articulation du langage, de la pensée et de l'éthique. Il renoncera ainsi au principe de plaisir (pulsions du *ça*) pour se soumettre au principe de réalité. En dehors de cet ancrage dans la loi symbolique, l'individu ne peut percevoir le réel comme tel, et, pris dans un réseau de relations fantasmatiques et imaginaires, il n'advient jamais à sa position de sujet inscrit dans la pensée et prenant les risques du désir.

L'INCONNU FAIT DES MIRACLES

Lire

1 « Le juif me rend merdeux. » (p. 50, l. 34-35). Est-il réaliste de mettre cette phrase dans la bouche d'un nazi ? À quoi fait-elle référence ?

2 Commentez l'échange suivant : « moi, lorsque je me trouve médiocre [...]. Normal, vous êtes juif. » (p. 50, l. 40-42).

3 Quelle est la teneur du chantage exercé par le Nazi ?

4 Pourquoi Freud demande-t-il à l'Inconnu d'intervenir (p. 53, l. 17) ?

5 N'y a-t-il pas dans la scène 6 une dimension comique ? Montrez-le.

6 Quel chantage Freud pratique-t-il à son tour à l'encontre du Nazi ?

7 Dans les lignes 26 à 32 de la page 58, quelle est la valeur du refrain « Mais c'est moi qui suis juif ! » ?

8 Comment interprétez-vous cet aphorisme : « Car ce qui rend les juifs dangereux, c'est qu'on n'est jamais sûr de ne pas en être un ! » (p. 58, l. 37-38) ?

9 Comment l'Inconnu vient-il en aide à Freud ? Qu'est-ce qui relève de l'intervention du surnaturel ?

10 Quelle est la nature du coup de théâtre proposé ?

Écrire

Écrit d'argumentation

11 Est-il plausible que l'Inconnu soit un fou évadé ? Justifiez votre réponse en vous appuyant sur le texte de la pièce pour argumenter.

Écrit fonctionnel

12 Menez une enquête auprès des habitants de votre ville sur le thème suivant : « Que pensez-vous de l'antisémitisme ? » À partir des réponses obtenues, écrivez un article de presse proposant un état des lieux de l'antisémitisme en France.

Chercher

13 Que suggère la phrase de Freud (p. 59, l. 54-58) sur l'identité juive ?

14 Quelles perturbations psychiques évoque Freud par les mots « hystérique », « angoissé », « obsédé » et « mythomane » (pp. 60-61, l. 82-83 et l. 88) ?

15 Comment ces trois scènes sont-elles construites ?

Oral

16 Jouez la scène 6 en insistant sur la gestuelle des personnages.

17 Faites un exposé sur le thème du Juif errant.

À SAVOIR

POUR COMPRENDRE

LES REPRÉSENTATIONS ANTISÉMITES DU « JUIF ÉTERNEL »

• *Le motif du Juif errant.* En s'exilant, Freud, et des milliers de juifs avec lui, ont revécu une énième diaspora (du grec, dispersion). La dispersion du peuple juif sur la terre après la destruction du Temple de Jérusalem en 70 après J.-C. est interprétée dans les discours antisémites chrétiens comme une punition infligée aux juifs pour avoir mis à mort le Christ.

En écho à cela, la légende médiévale du Juif errant raconte l'histoire du savetier Ahasvérus (Isaac Lakedem, dans la tradition scandinave) condamné à errer jusqu'à la fin des temps pour avoir manqué de respect à Jésus sur le chemin du Calvaire. Selon les récits, il se serait moqué du futur crucifié en lui refusant le repos de son banc ou en lui demandant ironiquement un signe de sa puissance (ce que Satan demande à Jésus dans le désert – Évangile selon Matthieu, chap. IV, versets 8-10 – et ce que Freud exige de l'Inconnu).

Caïn tuant Abel, la victime innocente, et condamné de ce fait à errer comme un vagabond sur la terre, apparaît comme un archétype d'Ahasvérus et, par conséquent, du peuple juif.

L'image négative du Juif errant s'inverse provisoirement au début du XIXe siècle avec, entre autres, Eugène Sue qui fait d'Ahasvérus une figure de l'homme éternel luttant contre toutes les oppressions sans jamais perdre courage.

• *Le motif du « nez juif ».* La propagande antisémite nazie exploita de manière intensive les techniques de la psychologie des foules, alors naissante. À partir de photos exigées des juifs demandant un visa pour l'exil, furent constitués des portraits-robots de juifs à faire peur, dotés de grandes oreilles et de nez de sorcières. Ces caricatures orientées envahissaient les journaux, les manuels de classe, les officines des médecins nazis.

Le « nez juif » de ces images de propagande, appendice crochu à l'image de la prétendue rapacité juive, apparaissait ainsi comme l'indice infaillible de la judéité et le Nazi du *Visiteur* est à ce point prisonnier de cette manipulation collective qu'il est prêt à redouter qu'on puisse utiliser la courbure de son nez comme preuve incriminante absolue.

Lire

1 Qu'est-ce qui fait de Walter Oberseit un personnage allégorique ?

2 Comment l'auteur souligne-t-il le lien entre Dieu et l'écrivain (p. 62) à travers les propos de l'Inconnu ?

3 Quelle position philosophique incarne Freud lorsqu'il dit : « Il n'y aura plus de saints désormais, seulement des médecins. C'est l'homme qui a la charge de l'homme. » (l. 67-69) ?

4 Comment la tirade de Freud est-elle construite (l. 193-235) ?

5 Quel sens donnez-vous à la métaphore de la maladie (l. 268-284) ?

6 Comment l'Inconnu met-il Freud en contradiction avec lui-même (l. 372-405) ?

7 Quelles remarques vous inspire l'image du « Christ sanguinolent au bout d'un pieu » (l. 379-380) ?

8 Quelle interprétation donnez-vous à la dernière réplique de l'Inconnu (l. 406-407) ?

9 Comparez l'argumentation de Freud en faveur de l'athéisme avec celle de l'Inconnu contre cette « superstition ».

Écrire

Écrit fonctionnel

10 Résumez la scène en 250 mots.

Écrits argumentatifs

11 Que vous soyez athée, croyant ou agnostique, écrivez un texte dans lequel vous justifierez votre position.

12 Quelle réponse donneriez-vous à la question du jeune homme : « Quel est le sens de la vie ? » (l. 313) ?

Chercher

13 Freud incarne dans toute la scène, et notamment pages 64-66, la figure mythique de Job. Qui est ce personnage biblique ? En quoi Freud lui ressemble-t-il ? Qu'est-ce qui l'en différencie ?

14 Quels sont les différents arguments qui fondent le personnage de Freud à nier l'existence de Dieu ?

15 Lisez la pièce de Jean-Paul Sartre, *Le Diable et le Bon Dieu*, et montrez dans quelle mesure elle a pu constituer une source d'inspiration pour *Le Visiteur*. Faites de même avec le *Faust* de Goethe.

16 Les positions face à l'existence ou à la non-existence de Dieu sont rarement tranchées. Quelles distinctions faites-vous entre un athée et un incroyant, un sceptique et un agnostique, un déiste et un croyant, le divin et le sacré ?

Oral

17 Jouez la scène 8.

18 Lisez à haute voix des extraits du Livre de Job.

QUELQUES CLÉS POUR L'ARGUMENTATION

Toute argumentation présuppose deux discours contraires ou deux positions opposées qui vont s'affronter au cours d'un dialogue. Les sophistes de l'Antiquité parlaient d'antiphonie (discours en réponse) pour désigner un débat contradictoire. Dans *Le Visiteur*, Freud fait le procès de Dieu auquel répond, en contre-discours, le procès que l'Inconnu fait aux hommes au nom de Dieu.

Dans la rhétorique ancienne, la construction d'un discours argumentatif comporte les étapes suivantes :

1) l'exorde, introduction destinée à capter l'attention des auditeurs (*captatio benevolentiae*) ;

2) la narration, ou exposé des faits ;

3) la confirmation, où sont présentés les arguments en faveur de la thèse défendue ;

4) la réfutation, où sont examinés et réfutés les arguments contraires à la thèse défendue ;

5) la péroraison, qui conclut et sollicite l'attention des auditeurs.

La notion d'argumentation au sens large – qui est celle des études littéraires – regroupe tout ce qui témoigne de la capacité à faire changer d'avis, à infléchir un adversaire vers tel ou tel point de vue.

La fonction expressive du langage (ton, lyrisme...) y participe, mais aussi l'ensemble des procédés de rhétorique (pathétique, ironie, figures de style mettant en relief le discours...) qui visent à toucher la sensibilité, à émouvoir, à faire rire ou pleurer. L'utilisation de raisonnements (propositions liées entre elles par des liens logiques) n'est donc qu'une des voies de l'argumentation. Un argument est moins fort qu'une preuve, qui relève de l'exactitude de la science. Une réfutation démontre définitivement la fausseté d'un énoncé, tandis qu'une objection ne contrecarre qu'une étape de l'argumentation et appelle une contre-argumentation.

On appelle paralogisme un faux raisonnement qui est le fruit d'une faiblesse de la pensée et sophisme un paralogisme fait dans l'intention de nuire ou de tromper (en référence à l'utilisation purement pragmatique, donc amorale, des techniques de persuasion faite par les sophistes grecs).

Lire

1 Quel est l'intérêt dramatique de la scène 9 ?

2 Quelle évolution du personnage de Freud suggère la question de la ligne 9 (p. 82) ?

3 Quel est l'intérêt de la didascalie « *comme un dandy d'Oscar Wilde* » (p. 83, l. 37) ?

4 Commentez la réplique de l'Inconnu à la ligne 52 (p. 84).

5 Comment comprendre la question de l'Inconnu ligne 63 (p. 84) ?

6 Analysez la valeur argumentative de l'échange entre Freud et l'Inconnu (pp. 85-87).

7 À quelles représentations du divin correspondent le « Père terrible » et le « Père qui aime » (p. 86, l. 107-112) ?

8 « J'ai cru [...] l'infini... » (p. 87, l. 139-141) : quelle nouvelle vision de l'Inconnu cette phrase nous donne-t-elle ?

9 Quelle fonction, lisible à travers les propos de l'Inconnu, l'auteur confère-t-il à la beauté ?

Écrire

Écrit argumentatif

10 Quels liens établissez-vous entre liberté et responsabilité ? Répondez à cette question dans un développement illustré d'exemples analysés.

Écrit d'invention

11 Écrivez un texte qui commencerait par « Je connais l'odeur des nuages... » et qui évoquerait les senteurs du monde à travers une « olfactivité » divine sur le modèle du passage où l'Inconnu exprime sa « sensibilité » aux bruits de l'univers (pp. 87-88, l. 128-143).

Chercher

12 À la fragilité de Freud (scène 4) répond ici la fragilité de l'Inconnu. Montrez-le.

13 Relevez le motif de la prison dans l'ensemble de la pièce et analysez-le.

14 Quelle est la conception qu'a Sartre de la liberté humaine ?

Oral

15 Faites un exposé sur *Le Prince* de Machiavel. Pourquoi cette référence au « prince » ?

16 Toute la classe écoute l'air de la Comtesse, puis chaque élève fait écouter à son tour un morceau de musique qui l'a ému autant que l'Inconnu l'a été par Mozart. Chacun s'exprime librement ensuite sur les émotions ressenties.

À SAVOIR

POUR COMPRENDRE

L'ARTISTE ET DIEU

La figure de l'artiste a souvent été associée à celle de Dieu, la création du monde apparaissant comme une métaphore de la production de l'œuvre.

• *L'artiste démiurge*. Dans la Bible, Dieu apparaît en tant que créateur du monde et de l'homme sculpté dans la glaise sous les traits d'un magistral artiste potier, tandis que la figure du *démiurge* grec (tout-puissant ordonnateur de l'univers) est souvent évoquée comme métaphorique de celle de l'artiste, le poète étant étymologiquement « celui qui crée » *(ho poïêtês)*.

• *L'artiste prophète*. Une vision plus humble, mais directement héritée de la métaphore du créateur-démiurge, fait de l'artiste le porte-parole du divin, le chaman inspiré par le souffle de l'esprit (*cf.* Platon), le prophète qui écoute « ce que dit la bouche d'ombre » (*cf.* Hugo). L'artiste devient ainsi celui qui transmet la voix de(s) Dieu(x), tel un nouvel Hermès.

• *L'artiste, rival de Dieu*. Ensuite, l'artiste se donne à voir comme celui qui fait concurrence à Dieu. Platon dénonçait en lui un reproducteur d'images, elles-mêmes reflets d'images, le champion de l'illusion. Mais l'artiste revendique la création de ces mondes parallèles, quelque imaginaires qu'ils soient, où il règne pleinement. La fabrication d'univers factices, l'invention de mensonges plus beaux que les vérités sont l'apanage des créateurs véritables qui ne se contentent plus de reproduire le monde réel, produit de la création divine ordinaire.

• *L'artiste athée*. Enfin, l'artiste dit n'être plus qu'un homme parmi les hommes (*cf.* Sartre), engagé dans le monde et participant à toutes les activités de la cité. Créer n'est plus qu'une fonction sociale parmi d'autres, un métier d'homme, à voix d'homme, où Dieu n'est plus présent que de manière anecdotique. L'artiste ne cherche plus à imiter Dieu ou à rivaliser avec lui, il redevient humblement un artisan – de génie, certes, mais un artisan –, au service des valeurs qu'il se donne.

Le personnage de l'Inconnu est traversé de la plupart de ces représentations de Dieu et de l'artiste.

Lire

1 Pourquoi la visite de l'Inconnu a-t-elle « redonné l'espoir » (p. 91, l. 65) à Freud ?

2 Anna propose sans le vouloir à son père trois interprétations de la visite de l'Inconnu. Lesquelles ?

3 Quels sont les effets comiques contenus dans les scènes 13, 14 et 15 ?

4 Comment comprenez-vous la phrase « chacun projette sur moi l'image qui lui convient » (p. 98, l. 11-12) ?

5 Pourquoi l'Inconnu précise-t-il qu'il n'a « ni père, ni mère, ni sexe, ni inconscient » (p. 99, l. 27) ?

6 Pourquoi le cœur est-il le lieu où se cache l'Inconnu (p. 99, l. 36-37) ?

7 Analysez la métaphore du « rossignol qui se plaignait de ne pas savoir la musique » (p. 99, l. 39-40).

8 Pourquoi Freud exige-t-il que l'Inconnu disparaisse sous ses yeux ?

9 Pourquoi cherche-t-il à tirer sur l'Inconnu ?

10 Quelle est la teneur du « pari » (p. 100, l. 69) fait par Freud ?

11 Montrez la nature argumentative des pages 99 à 101.

12 Quelle différence y a-t-il entre une « énigme » et un « mystère » (p. 101, l. 79) ?

13 Analysez le dernier mot du texte.

Écrire

Écrit argumentatif

14 Pourquoi, selon vous, la vie est-elle mystérieuse ? Développez votre réponse en un texte argumenté.

Écrit d'invention

15 Freud a visé juste : l'Inconnu est blessé à mort. Imaginez le dernier échange entre les deux personnages.

Écrit fonctionnel

16 Vous devez choisir un acteur pour incarner l'Inconnu. Dressez la liste de toutes les qualités requises en vue de les soumettre à une agence de casting.

Chercher

17 En quoi consiste le phénomène de la projection ?

18 Relevez dans toute la pièce des éléments qui évoquent la figure du Diable.

19 Une scène reprend, en en inversant les valeurs, une scène évangélique célèbre. Laquelle ?

20 Relevez dans toute la scène les références bibliques et analysez-les.

21 À quel motif récurrent dans la pièce le mot « puéril » fait-il référence ?

Oral

22 Imaginez la mise en scène des scènes 13 à 17 et jouez-les.

23 Faites un exposé sur le « pari » de

Pascal et la phrase de Tertullien, attribuée à tort à saint Augustin, *Credo quia absurdum* (*cf.* « À savoir ») en mettant en relation ces deux manières d'appréhender la foi.

À SAVOIR

LES CHEMINS DE LA FOI

Derrière l'affrontement entre athéisme et croyance se cache, au-delà de la question même de l'existence de Dieu, une interrogation sur la nature profonde du lien que l'homme peut entretenir avec le divin et le sacré.

Les preuves de l'existence de Dieu ont été amoncelées par tout un mouvement de pensée philosophique et théologique que l'on peut grossièrement qualifier de rationaliste, dans la mesure où il cherche des arguments fondés sur la raison (qui ne sont pas pour autant toujours rationnels ou même raisonnables). L'argument du « grand horloger » (*cf.* Voltaire) nécessaire à la construction de l'univers est le plus vulgaire (Molière s'en moque dans son *Dom Juan*). D'autres (*cf.* Descartes, Leibniz...) sont plus subtils, mais tous prétendent *prouver* l'existence de Dieu.

Or, un courant de pensée dans l'esprit du paradoxe de Tertullien, que Freud cite deux fois dans *L'Homme Moïse et la Religion monothéiste* (*Credo quia absurdum* : « je crois parce que c'est absurde »), considère que Dieu n'a pas à être un objet de démonstration ; il n'est que le fruit d'une expérience intime.

Cette problématique est à mettre en relation avec la question de la nature même de Dieu. Si Dieu existe, il est selon les théologiens « rationalistes » tout-puissant, omniscient, éternel et ainsi doté de toutes sortes de qualités exceptionnelles. En revanche, selon les mystiques, Dieu ne peut être, par nature même, ce qu'on dit ou pense de lui puisque notre finitude nous empêche d'en dire ou penser quoi que ce soit. Dieu échappe à la parole et à la pensée, il *est*, tout simplement, ou plutôt, il n'est pas tout ce qu'on peut imaginer de lui. Selon ces tenants de la « théologie négative » (qui ne peut nommer Dieu que négativement, par ce qu'il n'est pas), Dieu s'apparente à un véritable trou noir de l'expérience intérieure.

Tandis que Freud cherche, comme le saint Thomas de l'Évangile, à obtenir de l'Inconnu des preuves de sa nature divine, la disparition intempestive de ce dernier l'invite à ne chercher la réponse qu'au fond de son cœur et à remplacer la croyance par la foi.

POUR COMPRENDRE

Lire

1 Que représentent respectivement Freud et l'Inconnu ?

2 « Pourquoi êtes-vous venu ? » demande Freud à l'Inconnu (p. 82, l. 15). Quelle(s) réponse(s) donneriez-vous à cette question ?

3 Quelles questions philosophiques pose cette pièce ?

4 Pourquoi l'Inconnu se fait-il passer pour un fou et, qui plus est, pour un mythomane ?

5 Qu'est-ce qui fait de Freud un personnage profondément humain ?

6 Le verbe « croire » est sans doute le mot de la pièce qui a le plus d'occurrences (plus de trente !). Est-il toujours employé avec la même signification ?

7 L'Inconnu de Vienne est assez facétieux. Pourquoi, selon vous ?

8 La figure de l'écrivain est présente tout au long de la pièce. Analysez ses différents aspects.

9 Pourquoi l'antisémitisme nazi constitue-t-il une parfaite allégorie du Mal ?

Écrire

Écrits argumentatifs

10 Rédigez une critique littéraire de la pièce en 2 000 caractères.

11 Pensez-vous que tout doit être démontré ? Répondez à cette question dans un texte où vous argumenterez au moyen d'exemples analysés.

Écrit d'invention

12 En vous inspirant du canevas du *Visiteur*, inventez le scénario d'une pièce de théâtre dans laquelle le Démon rendrait visite à Freud.

Chercher

13 « Tu pensais que la vie était absurde » (p. 101, l. 84-85) : à quel courant de pensée renvoie ce constat ?

14 Freud incarne les positions d'une philosophie matérialiste. Quels en sont les principes essentiels ?

15 Dans *Totem et Tabou* et dans *L'Homme Moïse et la Religion monothéiste*, Freud expose l'essentiel de ses théories sur la nature de Dieu. Quelles sont-elles ? Quels échos en trouve-t-on dans *Le Visiteur* ?

Oral

16 Menez une enquête autour de vous sur le thème suivant : « Croyez-vous en Dieu ? Et pourquoi ? » et rendez compte de votre investigation.

17 Faites un exposé sur le roman d'Éric-Emmanuel Schmitt, *La Secte* *des égoïstes*, en montrant comment la notion de solipsisme traverse la pièce du *Visiteur*.

18 Chaque élève à tour de rôle joue l'auteur en conférence de presse, le reste de la classe incarnant les journalistes.

À SAVOIR

POUR COMPRENDRE

QUI EST LE VISITEUR ? POLYSÉMIE ET INTERTEXTUALITÉ

La richesse polysémique du mot « visiteur » s'accorde à la complexité du personnage qui lui donne chair.

Un visiteur désigne un voleur qui s'introduit par effraction. L'Inconnu pénètre chez Freud comme un voleur (p. 30, l. 16-17) et disparaît de la même façon (p. 102, l. 5-6).

Le visiteur est par ailleurs celui qui rend visite, par charité ou par devoir, à un malade ou à un prisonnier, ce qu'est Freud tout à la fois. L'Inconnu lui rappelle qu'il y a toujours quelqu'un qui entend celui qui demande de l'aide (p. 39, l. 228).

La visite médicale est aussi celle à laquelle se rend le patient : l'Inconnu vient demander de l'aide au médecin des âmes qu'est Freud (p. 33, l. 70-71).

Visiter est également un terme juridique pour décrire un état des lieux, une inspection des différentes pièces d'un procès. Ici, l'Inconnu se livre à une sorte d'examen des différents aspects de la misérable condition humaine.

Enfin, visiter est un terme de théologie pour nommer la manifestation de Dieu auprès des hommes. L'Inconnu, véritable incarnation divine, rappelle à Freud qu'il porte en lui le germe de la foi.

Par ailleurs, le titre de la pièce évoque celui du film de Marcel Carné, *Les Visiteurs du soir* (1942), où deux envoyés du Diable viennent dans un château du Moyen Âge séduire une jeune fille pure, son père et son fiancé. Or, à plusieurs reprises, la figure du Diable est associée à l'Inconnu qui porte le frac en véritable Méphistophélès (p. 72, l. 246-247 ; p. 100, l. 73-74...).

Enfin, l'Inconnu est représenté par ce « mythomane » dont la folie imaginative pourrait n'être que la projection du songe fantasmatique d'un Freud désespéré dans l'esprit duquel s'imprimeraient toutes les interrogations et angoisses de l'humanité. Mais le « mythomane » n'est peut-être qu'un « bon écrivain » (p. 46, l. 370-371). Freud et l'Inconnu sont à leur tour les projections figurativisées du « songe » auquel se livre l'écrivain, caressé par la tentation solipsiste : le monde n'existe que parce que je le crée par la pensée.

I) ÉCRITURE ET PSYCHANALYSE

Les découvertes freudiennes ont favorisé au XXe siècle le développement d'une littérature introspective où les courants de conscience les plus profonds ont été mis au jour, analysés ou offerts dans leur troublante immédiateté (*cf.* Marcel Proust, Virginia Woolf, James Joyce, Stefan Zweig ou Arthur Schnitzler).

Mais la technique psychanalytique elle-même a aussi inspiré bon nombre d'écrivains qui ont fait des concepts et des pratiques freudiens l'objet ou le moteur de leur œuvre.

De fait, une étroite parenté existe entre le romancier et le poète aux prises avec l'écriture et le patient traversé dans l'analyse par les mots qui le portent et le construisent. Les paroles de l'analysant et celles de l'écrivain coulent de même source et visent l'une et l'autre à la plus grande expressivité de l'être qui les produit.

Italo Svevo (1861-1928)
La Conscience de Zeno (1923), trad. P.-H. Michel, Gallimard, 1927.

Traducteur et admirateur de Freud, Italo Svevo a imaginé un personnage assez ridicule qui, à l'âge de cinquante-sept ans, sur les conseils de son psychanalyste, va consigner par écrit les principaux événements de sa vie. L'extrait se situe au début du roman : Zeno perdra cet enthousiasme naïf au fil de ce parcours rétrospectif destiné à favoriser l'anamnèse (le travail de mémoire) et finira par interrompre l'analyse au bout de six mois, insatisfait des conclusions de son « docteur ».

Préambule

Revoir mon enfance ? Plus de dix lustres m'en séparent mais mes yeux de presbyte pourraient peut-être y arriver si à la lumière qu'elle réverbère encore ne faisaient écran, hauts comme des montagnes, des obstacles de toute sorte et certains moments de ma vie.

Le docteur m'a recommandé de ne pas m'obstiner à regarder aussi loin. Même les événements récents sont précieux pour les médecins, surtout les imaginations ou les rêves de la nuit précédente. Il faut cependant mettre un peu d'ordre dans tout cela. Pour prendre les choses par le commencement, à peine avais-je quitté mon docteur, qui ces jours-ci et pour pas mal de temps sera absent de Trieste, qu'en vue de lui faciliter la tâche, j'ai acheté et lu un traité de psychanalyse. Ce n'est pas difficile à comprendre mais rudement ennuyeux.

Après le déjeuner, me voici commodément étendu dans un grand fauteuil à oreilles, crayon et feuille de papier à la main. Mon front s'est déridé parce que mon esprit élimine tout effort. Ma pensée m'apparaît comme séparée de moi. Elle monte, elle descend… mais c'est tout ce qu'elle fait. Pour lui rappeler qu'elle est la pensée et que son devoir serait de se manifester, je m'arme du crayon. Et voici que mon front se plisse car les mots sont composés de trop de lettres et le présent impérieux me ressaisit et masque le passé.

Hier, j'avais essayé de me détendre entièrement. L'expérience a fini dans le plus profond sommeil et je n'ai obtenu d'autre résultat que de me sentir tout à fait reposé et d'éprouver la curieuse sensation d'avoir vu en dormant quelque chose d'important. Mais c'était oublié et à jamais perdu.

Grâce au crayon que je serre dans ma main, aujourd'hui je reste éveillé. Je vois, j'entrevois des images bizarres qui ne peuvent avoir aucun lien avec mon passé : une locomotive qui s'essouffle sur une montée en traînant d'innombrables wagons ; qui sait d'où elle peut bien venir, où elle va et pourquoi la voilà devant moi ! Dans mon demi-sommeil, je me rappelle que le traité affirme que grâce à cette méthode on peut remonter jusqu'à la petite enfance, au temps des langes. Je vois aussitôt un bébé emmailloté, mais pourquoi faudrait-il que ce soit moi ? Il ne me ressemble pas du tout et je crois bien que c'est celui que ma belle-sœur a mis au monde voici quelques semaines et qu'on nous a présenté comme un prodige parce qu'il a de toutes petites mains et de très grands yeux. Pauvre bébé ! Tu n'as rien à voir avec le souvenir de mon enfance ! Je ne trouve même pas le moyen de t'avertir, alors que tu vis en ce moment la tienne, de l'importance de te la rappeler pour le bien de ton intelligence et de ta santé.

André Breton (1896-1966)
Manifestes du surréalisme (1924), Pauvert, 1977.

Théoricien du surréalisme, André Breton raconte comment l'expérience d'une phrase venue spontanément à son esprit lui a permis d'inventer la technique de l'écriture automatique. Libéré de toute nécessité de production intellectuelle, l'esprit continue à produire spontanément : le poète laisse alors advenir librement les mots, les phrases – sans se livrer à aucune censure, intellectuelle, morale ou grammaticale – et écrit ainsi sous la dictée de l'inconscient, tout comme le patient sur le divan s'abandonne progressivement à une parole enfouie qui le dépasse et qui pourtant parle de lui.

Un soir donc, avant de m'endormir, je perçus, nettement articulée au point qu'il m'était impossible d'y changer un mot, mais distraite cependant du bruit de toute voix, une assez bizarre phrase qui me parvenait sans porter trace des événements auxquels, de l'aveu de ma conscience, je me trouvais mêlé à cet instant-là, phrase qui me parut insistante, phrase oserai-je dire *qui cognait à la vitre*. J'en pris rapidement notion et me disposais à passer outre quand son caractère organique me retint. En vérité, cette phrase m'étonnait ; je ne l'ai malheureusement pas retenu jusqu'à ce jour, c'était quelque chose comme : « Il y a un homme coupé en deux par la fenêtre » mais elle ne pouvait souffrir d'équivoque, accompagnée qu'elle était de la faible représentation visuelle d'un homme marchant et tronçonné à mi-hauteur par une fenêtre perpendiculaire à l'axe de son corps. À n'en pas douter, il s'agissait du simple redressement dans l'espace d'un homme qui se tient penché à la fenêtre. Mais cette fenêtre ayant suivi le déplacement de l'homme, je me rendis compte que j'avais affaire à une image d'un type assez rare et je n'eus vite d'autre idée que de l'incorporer à mon matériel de construction poétique. Je ne lui eus pas plus tôt accordé ce crédit que d'ailleurs elle fit place à une succession à peine intermittente de phrases qui ne me surprirent guère moins et me laissèrent sous l'impression d'une gratuité telle que l'empire que j'avais pris jusque-là sur moi-même me parut illusoire et que je ne songeai plus qu'à mettre fin à l'interminable querelle qui a lieu en moi.

Tout occupé que j'étais encore de Freud à cette époque et familiarisé avec ses méthodes d'examen que j'avais eu quelque peu l'occasion de pratiquer sur des malades pendant la guerre, je résolus d'obtenir de moi ce qu'on cherche à obtenir d'eux, soit un monologue d'un débit aussi rapide que possible, sur lequel l'esprit critique du sujet ne fasse porter aucun jugement, qui ne s'embarrasse, par suite, d'aucune réticence, et qui soit aussi exactement que possible la *pensée parlée*. Il m'avait paru, et il me paraît encore – la manière dont m'était parvenue la phrase de l'homme coupé en témoignait – que la vitesse de la pensée n'est pas supérieure à celle de la parole, et qu'elle ne défie pas forcément la langue, ni même la plume qui court. C'est dans ces dispositions que Philippe Soupault, à qui j'avais fait part de ces premières conclusions, et moi nous entreprîmes de noircir du papier, avec un louable mépris de ce qui pourrait s'ensuivre littérairement.

Marie Cardinal (1929-2001)

Les Mots pour le dire, Grasset et Fasquelle, 1975.

Dans un texte autobiographique puissant, Marie Cardinal rend hommage « au docteur qui l'a aidée à naître » à travers le récit précis et douloureux de son analyse. Les mots, qui sont le pain de l'écrivain, permettent également dans le travail analytique de nommer l'innommable, en vertu de leur puissance métaphorique.

Je n'avais jamais pensé à cela, je ne m'étais jamais rendu compte que tout échange de paroles était un fait précieux, représentait un choix. Les mots étaient des étuis, ils contenaient tous une matière vitale.

Les mots pouvaient être des véhicules inoffensifs, des autos tamponneuses multicolores qui s'entrechoquaient dans la vie quotidienne, faisant jaillir des gerbes d'étincelles qui ne blessaient pas.

Les mots pouvaient être des particules vibratiles animant constamment l'existence, ou des cellules se phagocytant, ou des globules se liguant pour avaler goulûment des microbes et repousser les invasions étrangères.

Les mots pouvaient être des blessures ou des cicatrices de blessure, ils pouvaient ressembler à une dent gâtée dans un sourire de plaisir.

Les mots pouvaient aussi être des géants, des rocs profondément enfoncés dans la terre, solides, et grâce auxquels on franchissait des rapides.

Les mots pouvaient enfin être des monstres, les SS de l'inconscient, refoulant la pensée des vivants dans les prisons de l'oubli.

Leslie Kaplan (1943)
Le Psychanalyste, POL, 1999.

Un psychanalyste, Simon Scop, et ses différents patients, dont Louise, sont les héros de ce roman où alternent les séances d'analyse et les aventures du quotidien. Grâce à une phrase de Simon, la jeune femme vient de sortir de son « souterrain » et, folle d'une joie de vivre retrouvée, chante un hymne à la gloire de celui qui, par le jeu du transfert, est devenu un père pour elle.

Ce qui est extraordinaire, dit Louise, elle ponctuait en jetant les feuilles, c'est comment, tout d'un coup, des sentiments enfouis, des émotions perdues, des événements terribles qui vous tombent dessus, des faits purs et simples dont on ne sait pas quoi penser, des souvenirs oubliés, deviennent accessibles, vivants, prennent un sens, plusieurs sens, se mettent en rapport, ils étaient là, enregistrés, mais on ne les éprouvait pas, comme des négatifs de photos, et ils sont révélés, le travail les révèle, les rend réels, pleins, en noir et blanc ou en couleur. Le travail des mots.

Nommer, faire exister.

Louise, enthousiaste, regarda le ciel, il était bleu, et se récita : *The garden flew round with the angel*/Le jardin tournait avec l'ange /*The angel flew round with the clouds*/L'ange tournait avec les nuages /*And the clouds flew round et the clouds flew round*/Et les nuages tournaient et les nuages tournaient /*And the clouds flew round with the clouds*/Et les nuages tournaient avec les nuages.

Sur sa lancée elle décida de refaire un tour du jardin, et en marchant elle composa dans sa tête un petit poème, dédié bien sûr à Simon :
On ne peut pas tout dire
en une fois
on ne peut pas tout penser
d'un seul coup
l'analyse est
comme le langage
continu discontinu
l'infini, oui,
un infini en morceaux
un côté, un autre, se présente
parler rêver penser
sans arrêt
tout est toujours là
en même temps
avec un sens
le sens d'un désir
particulier
porté par des mots
qui circulent
simplement
libres, nécessaires, et libres
liés
par toutes sortes de réseaux
à tous les autres mots
disponibles
ou pas.
Hourra.

II) ENTRE L'HOMME ET DIEU :
UN DIALOGUE IMPOSSIBLE ?

La littérature des XIXe et XXe siècles est marquée par le désinvestissement du Dieu traditionnel chrétien. Le patriarche barbu et lointain disparu, l'idée de Dieu ne se dissout pas pour autant : elle devient à réinventer. Les hommes s'adressent à Dieu pour le prier ou l'invectiver, mais il répond rarement, du moins sous la forme attendue. L'apostrophe à Dieu, sous forme d'une prière ou d'une antiprière, porte toujours la trace d'une souffrance ou d'un bonheur spécifiquement humains. Au Dieu barbare de Baudelaire répond le Dieu simple et absolu de Pierre Emmanuel et de Julien Green. Quant à l'étrange homme d'Audiberti, il est comme le pied de nez que ferait un Dieu incompris à ceux qui l'adorent ou le détestent pour de très mauvaises raisons.

Charles Baudelaire (1821-1867)
Les Fleurs du mal, « Le Reniement de saint Pierre », 1857.

Le Mal est un mystère dont Dieu ne semble pas vouloir délivrer l'homme. Dans ce poème blasphématoire, Baudelaire s'insurge contre un Dieu au double visage : le Père, sanguinaire et cruel, et le Fils, allégorie de l'homme souffrant, subissant passivement les pires tortures au lieu de se révolter.

Qu'est-ce que Dieu fait donc de ce flot d'anathèmes
Qui monte tous les jours vers ses chers Séraphins ?
Comme un tyran gorgé de viande et de vins,
Il s'endort au doux bruit de nos affreux blasphèmes.

Les sanglots des martyrs et des suppliciés
Sont une symphonie enivrante sans doute,
Puisque, malgré le sang que leur volupté coûte,
Les cieux ne s'en sont point encor rassasiés !

– Ah ! Jésus, souviens-toi du Jardin des Olives !
Dans ta simplicité tu priais à genoux
Celui qui dans son ciel riait au bruit des clous
Que d'ignobles bourreaux plantaient dans tes chairs vives,

Lorsque tu vis cracher sur ta divinité
La crapule du corps de garde et des cuisines,
Et lorsque tu sentis s'enfoncer les épines
Dans ton crâne où vivait l'immense Humanité ;

Quand de ton corps brisé la pesanteur horrible
Allongeait tes deux bras distendus, que ton sang
Et ta sueur coulaient de ton front pâlissant,
Quand tu fus devant tous posé comme une cible,

Rêvais-tu de ces jours si brillants et si beaux
Où tu vins pour remplir l'éternelle promesse,
Où tu foulais, monté sur une douce ânesse,
Des chemins tout jonchés de fleurs et de rameaux,

Où, le cœur tout gonflé d'espoir et de vaillance,
Tu fouettais tous ces vils marchands à tour de bras,
Où tu fus maître enfin ? Le remords n'a-t-il pas
Pénétré dans ton flanc plus avant que la lance ?

– Certes, je sortirai, quant à moi, satisfait
D'un monde où l'action n'est pas la sœur du rêve ;
Puissé-je user du glaive et périr par le glaive !
Saint Pierre a renié Jésus… il a bien fait !

Pierre Emmanuel (1916-1984)
Jacob, Le Seuil, 1970.

Poète mystique et mystique de la poésie, Pierre Emmanuel a dans ce poème les accents d'un maître de la théologie négative. La parole poétique et le psaume de louange se confondent, coulant de la même source divine qui jaillit «au cœur de l'homme».

Je n'ai d'autre raison que de dire et de dire
Que tu es
De dire ce que nul ne veut entendre
Ne sait entendre
Qu'ici, au cœur de l'homme
Il faut creuser :
Qu'ici est l'eau.

J'ai en dégoût ce qui n'est Toi
Ce qui n'est pas.

Je ne vis que d'espérer
Ta nuit sans image.
Elle est ma source et mon Jourdain
Mon centre et mon abîme :
Baptise-moi au fond de moi
Comme l'étoile au fond du puits.

Tu m'as fait entrer dans la ténèbre des noces.
Ne pas Te voir c'est Te voir
Ta Présence m'aveugle.
Nu et néant je suis devant
Toi dont je ne sais que ceci
Que je suis néant et nu.

Je n'ai d'autre raison que de dire et de dire
Que Seul Tu es.

Julien Green (1900-1998)
Partir avant le jour, Le Seuil, 1963.

Dans ce texte extrait de son autobiographie, Julien Green
évoque le « langage secret » qui seul permet de communiquer
avec le divin. Dieu ne parle qu'à ceux qui ont encore un cœur
d'enfant, dans le silence d'une expérience indicible.

À parler de ces choses, il me semble que le temps se détruit et que de
nouveau je suis là-bas, dans ce jardin qui n'existe plus. Je sentais l'air frais
sur mes joues et une pensée que je n'arrivais pas à formuler se logeait

dans ma tête. Le bruit d'un tapis qu'on battait et cette musique alerte qui rendait malgré tout un peu triste et qui résonnait au loin, comme tout cela m'est présent aujourd'hui et comme il était étrange – oui, c'était bien cela que j'éprouvais et ne pouvais dire –, comme il était étrange d'être dans ce jardin, avec la terre sous les pieds et cette fraîcheur sur le visage, et dans le cœur quelque chose de secret, le bonheur de vivre, alors qu'on ne savait pas encore ce que vivre voulait dire.

Dans les cellules de carmélites, une inscription porte ces mots : « Ma fille, qu'êtes-vous venue faire ici ? » Cette question que Dieu pose à l'âme des religieuses, il la posait à sa manière, avec toute la douceur et la délicatesse de l'amour, à l'âme d'un enfant qui ne devait la comprendre que plus tard et dont la cellule était le monde.

Dieu parle avec une extrême douceur aux enfants et, ce qu'il a à leur dire, il le leur dit souvent sans paroles. La création lui fournit le vocabulaire dont il a besoin, les feuilles, les nuages, l'eau qui coule, une tache de lumière. C'est le langage secret qui ne s'apprend pas dans les livres et que les enfants connaissent bien. À cause de cela, on les voit s'arrêter tout d'un coup au milieu de leurs occupations. On dit alors qu'ils sont distraits ou rêveurs. L'éducation corrige tout cela en nous le faisant désapprendre. On peut comparer les enfants à un vaste peuple qui aurait reçu un secret incommunicable et qui peu à peu l'oublie, sa destinée ayant été prise en main par des nations prétendues civilisées. Tel homme chargé d'honneurs ridicules meurt écrasé sous le poids des jours et la tête pleine d'un savoir futile, ayant oublié l'essentiel dont il avait l'intuition à l'âge de cinq ans. Pour ma part, j'ai su ce que savent les enfants et tous les raisonnements du monde n'ont pu m'arracher complètement ce quelque chose d'inexprimable. Les mots ne peuvent le décrire. Il se cache sous le seuil du langage, et sur cette terre il reste muet.

Jacques Audiberti (1899-1965)
Le Cavalier seul, Gallimard, 1955.

Le chevalier Mirtus, héros du *Cavalier seul*, rencontre à Jérusalem, au XIe siècle, un homme étrange qui se révèle être un avatar du Christ s'insurgeant contre la bêtise des hommes qui ne peuvent jamais croire en Dieu qu'à grand renfort de miracles et de surnaturel.

L'homme :
Vous êtes tous les mêmes. Tous. Tant que le soleil ne se partage pas en quatre, tant que le déluge ne submerge pas la cime des dattiers, tant que les morts demeurent dans la mort, tant que les ânes ne volent pas, mais, sois tranquille, les ânes voleront, vous refusez d'applaudir. Vous êtes tous les mêmes. Parle carrément. Tu veux un miracle. Je consens. Ce sera le dernier. Mais il sera terrible. Écartez-vous ! (Bruits de cloches) Dans le ciel de la Providence, [...] plus haut, plus haut que le fracas des stratèges et des prophètes, plus haut que les glaciers de feu sur les soleils dans la ténèbre, plus haut que la hauteur [...], plus loin, plus loin que la distance, à l'écart de la puanteur, à l'abri de votre existence, plus loin, plus haut, plus bas, plus près que ce que ta tête imagine, moi, qui suis tout dans l'origine, moi qui moi-même m'engendrai, le fils de la matière chaste, l'époux d'une gloire trop vaste, moi, Dieu, l'être le plus étrange, celui qui peut tout, sauf qu'il change, je vous déclare, en vérité, que j'ai pitié. [...] J'ai pitié de vous. J'ai pitié de moi. J'ai mon compte. J'ai mon compte de vous voir vous contracter, vous déplier dans la souffrance, dans l'ignorance. Nous nous sommes consultés, le vieux, le pigeon et moi. Nous nous sommes dit : « Ça ne peut pas durer. Ce n'est pas possible. Il faut prendre une décision. » Cette décision nous l'avons prise. Nous partons. Unique dans sa trinité, le maître éternel s'en va. Je m'en vais. Je vous abandonne.

Pour la collection « Classiques & Contemporains », *Éric-Emmanuel Schmitt a accepté de répondre aux questions de Catherine Casin-Pellegrini, professeur de Lettres, auteur du présent appareil pédagogique.*

CATHERINE CASIN-PELLEGRINI : En quelle année et dans quelles circonstances avez-vous écrit *Le Visiteur*?

ÉRIC-EMMANUEL SCHMITT : Un soir de 1991, je regardais le journal télévisé. Il apportait son habituel cortège d'horreurs, de crimes et d'injustices. Soudain, je me mis à sangloter. À la différence des autres jours, je ne me contentais pas de *comprendre*, je ressentais dans ma chair les atrocités décrites. Je hurlais à l'unisson du monde. Je saignais, j'avais mal. J'avais honte d'être un homme. En éteignant le poste, je songeai : « Comme Dieu doit être déprimé en suivant le journal de 20 heures ! » Puis je me posai une question : « Lorsque Dieu souffre, qui peut-il aller voir ? » Je mesurai la solitude de Dieu, une solitude radicale, sans écoute. Une image fondit alors sur moi : Dieu s'allongeant sur le divan de Freud. La scène me fit rire. Puis m'intrigua. Puis me passionna. Les semaines suivantes, je compris que ces deux-là, Freud et Dieu, avaient sûrement beaucoup de choses à se dire puisqu'ils n'étaient d'accord sur rien. Et que la conversation serait difficile puisque aucun des deux ne croyait en l'autre, ni Freud en Dieu, ni Dieu en Freud…

Dès lors, l'idée ne me quitta plus. On est possédé par ses pièces plus qu'on ne les possède. Je réalisais que je pourrais faire le procès de Dieu, lui montrer la difficulté qu'on a à croire en lui devant l'épaisseur et la constance du Mal. Puis j'entendais sa réponse : « J'ai fait l'homme libre, c'est l'homme qui fait le bien comme le mal. »

Je dus attendre de trouver la circonstance de cette rencontre. En lisant le journal de Freud, je découvris cette nuit de 1938 où les nazis arrachèrent Anna à son père. Freud avait simplement inscrit : « Anna à la Gestapo. » Ce silence sec témoignait de sa souffrance, de son désarroi. J'ai voulu m'introduire dans cette faille, cette nuit où, sans doute, Freud avait pleuré…

C. C.-P. : Vous avez donné au personnage de l'Inconnu le visage « d'un acteur qui naîtra après [la] mort [de Freud] ». Pourquoi cette comparaison? Pensiez-vous a un acteur précis?

Interview

É.-E. S. : J'ai fait cette remarque par jeu et par intention. Par jeu car, dans toutes les représentations du *Visiteur* où qu'elles aient lieu sur la planète, le public rit lorsque l'acteur dit cette phrase. Par intention, car cette saillie permet de créer un troisième degré salutaire. Premier degré : le visiteur est un intrus. Deuxième degré : le visiteur pourrait être Dieu s'incarnant. Troisième degré : le visiteur est un acteur conscient en train de jouer. Cette saillie apporte un signe important au spectateur : elle lui indique qu'il doit se détendre, abandonner le premier degré, qu'il est devant un jeu intellectuel et théâtral où il ne s'agit plus de croire naïvement mais de réfléchir.

C. C.-P. : La référence au Diable pour évoquer une vraisemblable incarnation de Dieu peut paraître paradoxale. Quelle était votre intention ?

É.-E. S. : Vous touchez là un point essentiel. L'Inconnu a un comportement très agaçant tout au long de cette nuit : chaque fois que Freud croit l'avoir identifié, il dément. Si Freud le perçoit comme un homme, il lui révèle des choses qu'un homme ne saurait connaître. Si Freud le prend pour Dieu, il pirouette et montre qu'il n'est sans doute qu'un homme. Il se dérobe continuellement, non à la discussion, mais à la certitude. Ce jeu cruel et paradoxal le rend si insaisissable que certains critiques ont parlé un peu légèrement de son satanisme.

Bien évidemment, je ne présente pas un Dieu Diable, mais un Dieu Caché. Le philosophe Pascal et la doctrine de Port-Royal sont ici ma référence.

Dieu n'est pas présent dans le monde sous la forme d'un homme, d'un roi ou d'un souverain, il n'appartient pas à notre expérience sensible. Dieu n'est pas absent non plus puisqu'il suscite notre réflexion, notre interrogation, voire notre éthique. Ni présent, ni absent ; Dieu est *caché*. Il nous laisse libres de croire ou de ne pas croire en lui, il suscite notre liberté. Démonstratif, certain, évident, visible, contraignant, il ne serait pas Dieu mais un tyran ou un théorème. Là est l'adhésion libre et non nécessaire à ce mystère.

Ce paradoxe philosophique de Dieu, j'ai *voulu* en faire un jeu théâtral. Telle est la clé du *Visiteur* : une problématique philosophique devenue problématique scénique.

C. C.-P. : Votre première pièce était consacrée à Don Juan. L'Inconnu n'a-t-il pas également une dimension donjuanesque ?

É.-E. S. : Non, il n'y a que des ressemblances de surface : le brillant, le dandysme, la séduction, la dérobade. Pour le reste, les enjeux sont différents. L'Inconnu, quoi qu'il cache, n'est qu'amour et compassion alors que Don Juan a le cœur sec et manifeste de l'indifférence aux autres. L'Inconnu sème le trouble alors que Don Juan est troublé. Enfin, l'Inconnu serait éventuellement Dieu, c'est-à-dire ce que Don Juan refuse et défie.

C. C.-P. : Dans *L'École du Diable* vous condamnez le « psychologisme » comme l'un des moyens diaboliques pour permettre au mal de se répandre plus efficacement. Le personnage de Freud est plus ou moins ridiculisé à la fin du *Visiteur*. Quel est votre sentiment personnel à l'égard de la psychanalyse ? Parlez-vous d'expérience ?

É.-E. S. : Je respecte énormément la psychanalyse et son fondateur Sigmund Freud, dont l'œuvre non seulement m'a passionné au point que je l'ai lue trois fois, mais me semble avoir eu des effets thérapeutiques indéniables sur des milliers de patients – y compris moi-même dans une certaine mesure. Mais si la pratique psychanalytique est efficace, la théorie sur laquelle cela s'appuie est-elle vraie pour autant ? Pouvoir n'est pas savoir.

Ne vous méprenez pas : je n'ai pas écrit une pièce *sur* Freud, ni une pièce *pour* Freud, ni, encore moins, une pièce *contre* Freud. J'ai écrit une pièce sur Dieu. Sur la difficulté et la possibilité de croire. Dans cette optique, j'ai choisi Freud parce qu'il est peut-être le seul athée original et authentique du XXᵉ siècle. Je voulais créer une nuit de doute, une nuit où un athée magnifique et intelligent remet tout en question, y compris son athéisme.

Cette épreuve du questionnement, de l'abandon de toutes les certitudes, il me semblait intéressant qu'elle soit vécue par un grand esprit. Parce qu'il passe par tous les états, Freud devient nous-même et cependant reste Freud. À la fin de la pièce, je ne l'humilie pas, je me moque tendrement de sa volonté d'avoir des certitudes. « La foi se nourrit de foi, non de preuves » lui répond l'Inconnu. Lorsque Freud saisit son revolver et veut tirer, c'est pour avoir une certitude. Le revolver représente la raison, l'arme de l'intelligence. Or il échoue, il rate sa cible. Car la

Interview

foi est affaire de cœur plus que de raison. La rationalité n'encadre pas tous les champs de l'existence, elle n'épuise pas le mystère.

C. C.-P. : Comment parleriez-vous de Dieu ? Diriez-vous que vous êtes croyant ?

É.-E. S. : Est-il important pour le lecteur de savoir ce que je pense ? Je ne suis pas un écrivain contagieux. Je n'écris pas pour infliger aux autres mes opinions, mais pour partager avec eux une réflexion ouverte. Mon théâtre appelle à faire une expérience philosophique, celle du débat, comme la tragédie grecque. Je pratique un théâtre problématique, pas un théâtre dogmatique. J'ai horreur des écrivains à thèse qui prétendent détenir et imposer la vérité. Ils sont pour moi le pic du grotesque.

Cependant, je ne me défilerai pas devant votre question. Oui je crois en Dieu, avec des moments de plénitude et des moments de creux, je suis porté par les vagues de ma foi ; même quand je doute, je doute *en* Dieu, je ne doute pas *de* Dieu. Ce fut un long voyage : je suis né athée, j'ai été élevé de façon athée, j'ai revendiqué cet athéisme à l'adolescence puis j'ai évolué. La philosophie a suspendu mes certitudes négatives et m'a rendu agnostique : Descartes, Kant, Hegel, me montrant que Dieu était pensable, me montraient qu'il était possible. Enfin, un voyage dans le désert du Sahara où je me suis perdu et où j'ai failli perdre la vie m'a donné la croyance que je n'avais pas. Sous les étoiles, dans le froid, la soif, la faim, la solitude et l'épuisement, j'ai reçu la grâce de croire. Au lieu d'éprouver de la peur, j'ai été foudroyé par la confiance. Beaucoup de mes œuvres travaillent, sous différentes formes, ce thème de la nuit mystique, surtout *L'Hôtel des Deux Mondes*, *L'Évangile selon Pilate* et, bien sûr, *Le Visiteur*.

Cependant, je n'écris pas pour convaincre, mais pour partager un moment de réflexion. Ma récompense, à la création du *Visiteur*, fut de voir sortir différentes sortes de spectateurs qui, tous, étaient personnellement touchés par la pièce. Les juifs y voyaient une superbe méditation hassidique, les chrétiens une fantaisie pascalienne et les athées y retrouvaient le cri de leur douleur. Ce qui me réjouissait c'était que, si chacun avait entendu sa propre voix, il avait été aussi obligé d'entendre la voix de l'autre. Dialogue. Partage. Écoute. Débat. La structure non conclusive du texte provoque la discussion entre les spectateurs dès les premiers pas hors de la salle. «Qui est le visiteur? Est-ce Dieu? Dieu existe-t-il? On a vu votre pièce et on a parlé jusqu'à deux heures du matin.» me disaient certains. Je n'avais pas d'autre but.

C. C.-P. : Votre intérêt se porte presque toujours sur les grandes figures mythiques de l'histoire de l'humanité : Don Juan, Freud, Dieu, Jésus, Hitler... Pourquoi ce choix? Quels sont les thèmes ou les personnages dont vous aimeriez traiter dans une prochaine pièce ou un prochain roman?

É.-E. S. : Qu'est-ce qu'un mythe? De la pensée rendue sensible. De la réflexion devenue récit. Du concept transformé en personnage. Le mythe raconte et réfléchit, il fait penser autant qu'il fait rêver. Un écrivain nourri de philosophie comme moi devait nécessairement travailler sur les mythes ou, un jour j'espère, en fabriquer.

Tout personnage historique n'est d'ailleurs pas à même de devenir un mythe. Que faut-il pour cela? Symboliser un conflit qui se retrouve en tous les hommes. Hitler est – sinistrement – historique et mythique à la fois car il incarne l'homme qui choisit le Mal, l'inhumanité, la barbarie, il est démoniaque même pour ceux qui ne croient pas au démon. Jésus est l'inverse, le choix de l'amour. Freud est une grande figure mais est-il un mythe? Je n'en suis pas sûr. En tout cas dans la pièce, je le traite comme un mythe : l'homme de l'intelligence victime de la force brute, l'intellectuel libre dans un monde qui ne veut plus d'intellectuels.

Cependant, un mythe n'est vraiment qu'un mythe que lorsqu'on le travaille, voire lorsqu'on le mine et le lamine. Dans *La Part de l'autre*, je montre que Hitler n'est pas l'autre mais nous. Dans *La Nuit de Valognes*, je montre que Don Juan, coureur de jupons, peut rencontrer l'amour sous la forme d'un homme. Dans *L'Évangile selon Pilate*, je creuse l'humanité d'un Jésus dit «Divin». Et dans *Le Visiteur*, je fais douter de son athéisme le père de la psychanalyse. Un mythe, c'est de la poudre à penser : ça n'existe que par ses explosions!

C. C.-P. : Comment un philosophe de formation devient-il écrivain? Qu'est-ce qui manque à la philosophie que vous avez trouvé dans la littérature?

Interview

É.-E. S. : J'ai toujours écrit. En rangeant des malles, j'ai même découvert l'autre jour une piécette écrite à l'âge de onze ans, alors que je croyais que ma première pièce, jouée au club « Théâtre » de mon lycée, datait de mes seize ans. Que s'est-il passé entre mon adolescence et ma trentaine ? Entre mes débuts officieux sur les planches du collège et mes débuts officiels avec *La Nuit de Valognes* ? J'ai découvert la philosophie. Elle m'a ébloui, elle m'a occupé, elle m'a nourri, elle m'a inspiré et, cependant, elle m'a rendu stérile. En découvrant le pouvoir de réfléchir et d'argumenter, j'ai perdu pendant dix ans le pouvoir de raconter des histoires. Le philosophe que je devenais a d'abord tué l'écrivain que j'étais spontanément. Le concept avait du mal à coexister avec la fiction. Comment la situation s'est-elle dénouée ? Je suis de nouveau parvenu à écrire sous forme romanesque et théâtrale lorsque j'ai remis la philosophie à sa place : surtout pas la première ! La philosophie m'a aliéné et retenu d'écrire tant que j'ai cru qu'elle allait me permettre d'arriver à la vérité. Une fois que j'eus compris qu'on ne trouvait jamais la vérité, qu'on ne faisait que la chercher, une fois que j'eus réalisé qu'il n'y avait pas une philosophie mais des philosophies, qu'une théorie n'était qu'une simple hypothèse, une proposition rationnelle parmi d'autres, j'ai fait le deuil de la vérité, le deuil de l'impérialisme philosophique, je suis redevenu écrivain. La place de la philosophie est seconde, dans la vie comme dans l'écrit. « L'oiseau de Minerve se lève à minuit » disait Hegel, c'est-à-dire que la philosophie est réflexion après coup sur ce qui est déjà. Le besoin de philosopher naît de situations vécues, de crises morales, d'angoisses existentielles, d'impasses sociales, de conflits politiques. Il naît de la violence pour l'apaiser. Il n'est pas créateur, il est créé. Lorsque nous sommes en difficulté, la philosophie nous apparaît un moyen de penser ou repenser ce que nous subissons. Seule la littérature remet le besoin philosophique dans sa vraie chair : la vie. Pour moi, Sophocle et Dostoïevski font plus pour la philosophie que bien des philosophes. Plus légitimes que l'essai ou la tribune académique, le théâtre et le roman me semblent être le vrai lieu où la vie se reproduit et se pense. Ma devise ? Écrivain d'abord, philosophe ensuite. Écrivain par vocation, philosophe par nécessité…

BIBLIOGRAPHIE

- **Textes d'Éric-Emmanuel Schmitt utiles à la compréhension du *Visiteur***
- « Le Bâillon », *Théâtre*, Albin Michel, 1999.
- « L'École du diable », *Théâtre*, Albin Michel, 1999.
- *La Secte des égoïstes*, Albin Michel, 1994.
- *L'Évangile selon Pilate*, Albin Michel, 2000.
- *La Part de l'autre*, Albin Michel, 2001.
- **Sur Freud et la psychanalyse**
- Sigmund Freud, *Le Rêve et son Interprétation*, coll. « Folio essais », Gallimard, 2001.
- Sigmund Freud, *Cinq leçons sur la psychanalyse*, coll. « Petite Bibliothèque », Payot, 2001.
- Sigmund Freud, *Totem et Tabou*, coll. « Petite Bibliothèque », Payot, 2001.
- Sigmund Freud, *L'Homme Moïse et la Religion monothéiste*, Gallimard, 1993.
- Sigmund Freud et Arnold Zweig, *Correspondance, 1927-1939*, NRF, Gallimard, 1973.
- Stefan Zweig, *Freud*, Stock plus, 1978.
- Detlef Berthelsen, *La Famille Freud au jour le jour, Souvenirs de Paula Fichtl*, Presses universitaires de France, 2000.
- Ernest Jones, *La Vie et l'Œuvre de Sigmund Freud*, t. III, « Les dernières années (1919-1939) », Presses universitaires de France, 2000.
- Paul-Laurent Assoun, *Le Vocabulaire de Freud*, Ellipses, 2002.
- Juan David Nasio, *Le plaisir de lire Freud*, coll. « Petite Bibliothèque », Payot, 2001.
- **Sur l'antisémitisme nazi**
- Annette Wieviorka, *Auschwitz expliqué à ma fille*, Le Seuil, 1999.
- Gerhard Schoenberner, *L'Étoile jaune : le génocide juif en Europe*, Presses de la Cité, 1982.
- Saul Friedländer, *L'Allemagne nazie et les Juifs*, t. I, « Les années de persécution », coll. « xxe siècle », Le Seuil, 1997.

FILMOGRAPHIE

- *Les Visiteurs du soir*, Marcel Carné, 1942.
- *Freud, Passions secrètes*, John Huston, 1961.
- *Généalogies d'un crime*, Raoul Ruiz, 1997.
- *Mafia Blues*, Harold Ramis, 1999.
- *Amen*, Constantin Costa-Gavras, 2002.
- *Zeno (la parole di mio padre)*, Francesca Comencini, 2002.

CONSULTER INTERNET
- http ://www.eric-emmanuel-schmitt.com
- http ://freud.t0.or.at/freud/e/navigate.htm
- http ://www.freud.org.uk/Index.html
- http ://www.oedipe.org/liens/freud-lacan.php

VISITER

- Sigmund Freud Society
Berggasse 19
A-1090 Wien
Autriche
Tél. : +43 (1) 319 15 96
http ://freud.t0.or.at/freud/index-e.htm

- Freud Museum
20 Maresfield Gardens
London NW3 5SX
Angleterre
Tél. : +44 (0) 20 7435 2002
http ://www.freud.org.uk/

Classiques & Contemporains

SÉRIES COLLÈGE ET LYCÉE

1 **Mary Higgins Clark,** *La Nuit du renard*
2 **Victor Hugo,** *Claude Gueux*
3 **Stephen King,** *La Cadillac de Dolan*
4 **Pierre Loti,** *Le Roman d'un enfant*
5 **Christian Jacq,** *La Fiancée du Nil*
6 **Jules Renard,** *Poil de Carotte* (comédie en un acte), suivi de *La Bigote* (comédie en deux actes)
7 **Nicole Ciravégna,** *Les Tambours de la nuit*
8 **Sir Arthur Conan Doyle,** *Le Monde perdu*
9 **Poe, Gautier, Maupassant, Gogol,** *Nouvelles fantastiques*
10 **Philippe Delerm,** *L'Envol*
11 *La Farce de Maître Pierre Pathelin*
12 **Bruce Lowery,** *La Cicatrice*
13 **Alphonse Daudet,** *Contes choisis*
14 **Didier van Cauwelaert,** *Cheyenne*
15 **Honoré de Balzac,** *Sarrazine*
16 **Amélie Nothomb,** *Le Sabotage amoureux*
17 **Alfred Jarry,** *Ubu roi*
18 **Claude Klotz,** *Killer Kid*
19 **Molière,** *George Dandin*
20 **Didier Daeninckx,** *Cannibale*
21 **Prosper Mérimée,** *Tamango*
22 **Roger Vercel,** *Capitaine Conan*
23 **Alexandre Dumas,** *Le Bagnard de l'Opéra*
24 **Albert t'Serstevens,** *Taïa*
25 **Gaston Leroux,** *Le Mystère de la chambre jaune*
26 **Éric Boisset,** *Le Grimoire d'Arkandias*
27 **Robert Louis Stevenson,** *Le Cas étrange du Dr Jekyll et de M. Hyde*
28 **Vercors,** *Le Silence de la mer*
29 **Stendhal,** *Vanina Vanini*
30 **Patrick Cauvin,** *Menteur*
31 **Charles Perrault, Mme d'Aulnoy, etc.,** *Contes merveilleux*
32 **Jacques Lanzmann,** *Le Têtard*
33 **Honoré de Balzac,** *Les Secrets de la princesse de Cadignan*
34 **Fred Vargas,** *L'Homme à l'envers*
35 **Jules Verne,** *Sans dessus dessous*
36 **Léon Werth,** *33 Jours*
37 **Pierre Corneille,** *Le Menteur*
38 **Roy Lewis,** *Pourquoi j'ai mangé mon père*
39 **Charles Baudelaire,** *Les Fleurs du Mal*
40 **Yasmina Reza,** *« Art »*
41 **Émile Zola,** *Thérèse Raquin*
42 **Éric-Emmanuel Schmitt,** *Le Visiteur*

SÉRIE BANDE DESSINÉE (en coédition avec Casterman)

SÉRIES ANGLAIS

Couverture
Conception graphique : Marie-Astrid Bailly-Maître
Photographie : www.cassandre-sturbois.com
Intérieur
Conception graphique : Marie-Astrid Bailly-Maître
Édition : Fabienne Hélou
Réalisation : Nord Compo, Villeneuve-d'Ascq

Achevé d'imprimer en mai 2009 par CPI - Aubin Imprimeur
N° d'éditeur : 2009/404 - Dépôt légal février 2006 - N° d'impression L 73013
Imprimé en France